COLLECTION

ACTIVITÉS POUR LE CADRE COMMUN

B1

Corrigés

Marie-Louise PARIZET
Éliane GRANDET
Martine CORSAIN

Conseillères pédagogiques
au Cavilam, Vichy

D1456053

CLE
INTERNATIONAL
www.cle-inter.com

ISBN 978-2-209-035382-2
© CLE International, 2006

Corrigés de l'oral

I. COMPRÉHENSION ORALE

1 **a)** Rose est la servante, la bonne de Follavoine.
L'arrogance, la satisfaction de soi, le désir de bien faire, la bonne volonté, la peur…

b)

FOLLAVOINE	ROSE
Sentiments/Attitudes	**Sentiments/Attitudes**
L'autorité : *Au fait, dites donc, vous… !/Allez retrouver Madame.*	**L'étonnement** : *Comment ?/Les Hébrides ?*
L'agacement/l'impatience : *Quoi? Qu'est-ce que vous voulez ?/Je regrette ! je travaille./Oui, bon, merci, ça va bien !*	**La justification** : *Y a pas longtemps que je suis à Paris, n'est-ce pas… ?/Et je sors si peu !*
La colère : *On ne trouve rien dans ce dictionnaire !*	**La soumission** : *Bien, Monsieur./Oui, Monsieur./Monsieur ?*
L'amusement : *Mais non, pas de la boue !/« C'est pas elle qui a rangé les Hébrides »! Je te crois parbleu !*	**Le soulagement** : *Ah! oui !… c'est dehors !*
Le mépris : *des îles ! bougre d'ignare !… de la terre entourée d'eau… vous ne savez pas ce que c'est ?/ Elle ne sait rien, cette fille ! rien !*	**L'inquiétude** : *Ah! non !… non !… C'est pas moi qui range ici !… C'est Madame.*

2

Sentiment/ Attitude	1	2	3	4	5	6	7	8	9	10	11	12	13	14	15
La colère									X				X		
L'admiration											X				
Le regret	X														
L'enthousiasme		X													
L'indignation						X		X					X		
Le doute												X			X
La surprise							X			X					X
La critique				X											
La satisfaction					X								X		
Le mécontentement				X				X							

3 **b)** **I.**

Année de création : 1979	Nombre de spectateurs : environ 130 000
Durée : 9 jours	Horaires des séances : une séance toutes les heures, de 13 h à 23 h (13 h -15 h -17 h, etc. dans une partie des salles, 14 h -16 h - 18 h, etc. dans les autres)
Nombre de films reçus : près de 4 000	Prix d'entrée : 3 € la séance, 56 € le carnet de 20 places
Types de compétition : nationale, internationale, « labo »	Lieux de projection : 2 cinémas, la fac (l'université), la Maison des congrès

2. • Des films plus expérimentaux, des recherches formelles.

• Oui, il y a des sélections pour les jeunes, des programmes sur des thèmes particuliers, un pays invité d'honneur.

• Parce qu'il trouve que ce festival donne une très bonne idée des tendances actuelles du cinéma international. Et puis il aime beaucoup l'ambiance. Il apprécie aussi que les réalisateurs assistent aux projections.

4 **a)** **a**: dans un magasin de chaussures - **b**: pendant les soldes, un après-midi - **c**: 3 - **d**: une cliente, une vendeuse, la responsable du magasin - **e**: la cliente veut échanger son achat, la vendeuse refuse puis doit accepter d'échanger ou de rembourser l'achat de la cliente, la responsable vérifie le bien fondé de la réclamation et accède à la demande de la cliente.

b) La cliente va se faire rembourser ou acheter autre chose - En période de soldes, les articles ne sont normalement ni repris ni échangés, mais ils peuvent être repris, échangés ou remboursés s'il y a un défaut non visible à l'achat.

5 **1)** Madame Courtine veut savoir quand elle voyage <u>en train, si elle est indemnisée en cas de vol de ses bagages</u>.
a) La société de transport n'est pas responsable, même si elle impose au voyageur de déposer ses bagages dans un endroit éloigné de sa place mais elle est responsable si on lui confie ses bagages, si on utilise son service « bagages à domicile ».
b) Le service « bagages à domicile » prend et livre les bagages aux adresses qu'on lui indique.
La SNCF verse une indemnité forfaitaire de 30,50 € si le jour de livraison prévu n'est pas respecté. Elle verse une indemnité limitée à 914 € par bagage ordinaire (valise, sac...) et 396 € par bagage volumineux (un vélo, par exemple).

2) Monsieur Villiers veut savoir quand il voyage <u>en avion, ce qu'il doit faire s'il a des problèmes avec ses bagages</u>.
a) Selon les statistiques, deux bagages sur mille sont endommagés par an, sept sur mille sont mal acheminés, et trois sur dix mille sont définitivement perdus.
b) Si le bagage n'est pas livré à l'arrivée, il faut le signaler tout de suite au service bagages de la compagnie ou de l'aéroport et exiger un récépissé. On peut demander une indemnité si on a dû acheter des affaires de première nécessité, à condition de faire cette réclamation au plus tard dans les 21 jours qui suivent la livraison du bagage.
c) Si les bagages sont perdus ou endommagés, on obtient une indemnité de 25 € par kilo pour les bagages transportés en soute. Pour les bagages transportés en cabine, il n'y a pas d'indemnisation sauf si le dommage intervient pendant le vol. On obtient alors 410 € au maximum par passager.

6 **a)**

	VRAI	FAUX
Il s'agit d'une conversation amicale.		✗
Les personnes se contactent pour la première fois.	✗	
Les personnes donnent l'impression de se connaître.		✗
Elles vont se recontacter bientôt.	✗	
Chacune expose ses problèmes.		✗

b) Les séjours au pair.

c) Karen est danoise, elle a 22 ans, elle voudrait trouver un emploi de *fille au pair* pour améliorer son français. Elle a une petite expérience de ce genre de travail : elle s'est occupée d'un bébé au Canada. Elle est patiente avec les enfants. Elle adore la montagne.

d) 1. Conditions :
- âge requis : 18 à 27 ans
- durée du séjour : 18 mois maximum

2. Obligations :
- pour elle : essentiellement s'occuper des enfants de la famille d'accueil, c'est-à-dire selon leur âge : les préparer pour l'école, aller les chercher, préparer les goûters et les repas, jouer avec eux, leur donner le bain, s'occuper de leur linge, ranger les jouets. Au total = 30 heures de travail par semaine.
- pour la famille d'accueil : lui donner 300 euros par mois (au minimum 275 euros), la nourrir et la loger,

lui donner également un jour de congé complet par semaine (le dimanche, par exemple), lui permettre d'aller suivre des cours de français 2 fois 3 heures par semaine. En outre, si elle reste plus de 6 mois, la famille lui devra une semaine de vacances rémunérées.

3. Formalités: remplir un dossier d'inscription et produire un passeport valide ou une carte d'identité.

7 a)

ÉPOQUES	DATES	PERSONNES	ÉVÉNEMENTS FONCTIONS
IXXe siècle			Caserne de cavalerie et Palais d'Orsay
La Commune	*1871*		*Incendie de la caserne et du Palais d'Orsay*
1871 à 1898			Ruines
1898 à 1900			Terrain cédé à la Compagnie des Chemins de fer d'Orléans. Construction d'une gare et d'un hôtel.
	14 juillet 1900		Inauguration de la gare et de l'hôtel
1900 à 1939			Gare importante
Pendant la guerre (1939-1945)			Centre d'expédition de colis aux prisonniers.
La Libération			Centre d'accueil pour les prisonniers
Par la suite			Décor pour films et accueille la compagnie de théâtre Renaud-Barrault
	1973		Inscrite à l'inventaire supplémentaire des Monuments historiques
	20 octobre 1977	Le président Valéry Giscard d'Estaing	Décision d'y implanter un musée consacré aux arts du XXe siècle.
	1978		Le bâtiment est classé monument historique.
	Décembre 1986	Le président François Mitterrand	Inauguration du musée.
	Jusqu'au 28 mai 2006		Exposition Cézanne - Pissarro

b) 1 - 2 - 4 - 6

8 **a)** Profil au moment du changement: Marie-Michelle avait 51 ans et de grands enfants.
Christophe avait 37 ans, il était marié, ses deux enfants avaient 6 et 8 ans.
Situation antérieure. M.-M.: responsable de fabrication chez Total. C. travaillait à La Poste.
Raisons du changement. M.-M. en avait assez de l'ambiance de travail, du manque de contact avec les gens, du stress, de la pollution. Pour C., la société où travaillait sa femme a fermé (mais ils pensaient déjà à ce changement avant).
Nouveau métier. M.-M. tient un commerce multiservices. C. et sa femme ont ouvert leur hôtel-restaurant.
Aspects positifs de leur nouvelle vie. Pour M.-M.: les contacts, l'apprentissage de nouveaux rythmes, la découverte d'un autre univers, l'équilibre. Pour C.: oublier le stress, l'insécurité, la pollution.
Contraintes ou difficultés. Pour M.-M., beaucoup de travail. Pour C., l'adaptation des enfants.
Jugement sur le changement. Entièrement positif pour les deux.
b) Vrai: 2, 5, 6. **Faux:** 1, 3, 4.

9 **a)** 1: les pellicules photo, la peinture, le rouge à lèvres, les chemises synthétiques, la crème glacée.
2. Ils contiennent tous des alginates fabriqués à base de goémon autrement dit d'algues.

b) 1. Yannig BIGOUIN est le responsable du musée des goémoniers de PLOUGUERNEAU. 2. en Bretagne - 3. Depuis des siècles - 4. Au début du IXXe siècle, en 1828 - L'iode est extrait des algues brûlées (6); on fait sécher les algues avant de les faire brûler (7); la teinture d'iode s'obtient à l'aide de cendres d'algues et d'alcool (9).

c) Vrai: 2 - 3 - 4 - 7 - 8 - 10 **Faux:** 1 - 5 - 6 - 9

e) • « Avez-vous une petite idée de… eh bien pour connaître la réponse, écoutez attentivement le reportage d'Édouard Garzaro ».
• «… comme nous l'explique Yannig Bigouin », «… comme s'en souvient très bien Francine Le Tredoux, issue d'une famille de goémoniers depuis plusieurs générations ».

10 a) Longueur : 73 mètres ; hauteur : 24 mètres ; poids : 560 tonnes ; voilure : 845 m² ; nombre de roues : 20 ; nombre de ponts : 2 ; nombre de passagers en vol charter : 1 000 ; nombre de décibels au décollage : 88,5 ; nombre de décibels à l'atterrissage : 103 ; prix : 250 millions d'euros ; nombre d'exemplaires vendus : 150 ; Premiers vols commerciaux au printemps (2006) sur Singapore Airlines ; Date du deuxième vol d'essai : 4 mai dernier (2005) sur l'aéroport de Toulouse-Blagnac.

b) 1 : 5 personnes.
2 : Frédéric BOURGADE, un journaliste, était sur le terrain lors du vol d'essai ; Noël FORGEARD est le PDG d'Airbus ; Nadine SALOMÉ et Henri SUNE sont riverains des pistes d'Airbus ; Chantal DEMANDER fait partie de l'Association contre les nuisances aéroportuaires.
3 : sur le bruit.
4 : Pour Airbus, oui : c'est l'avion le moins bruyant du monde par passager. Ils expliquent aussi qu'« au premier vol l'avion ne rentre pas immédiatement le train d'atterrissage et qu'il faut ajouter au bruit de l'Airbus celui de la Corvette qui le suivait ».
Les riverains pensent que c'est faux car lors du survol d'Airbus, il leur était impossible de s'entendre ; « le survol des maisons parisiennes par l'A380 sera dérangeant pour les habitants » (selon Chantal Demander).
5 : La meilleure solution est « d'enlever ces aéroports qui sont trop nuisants et de les mettre en dehors des villes ».

11 1 : *amour* parce qu'il y a des fois où on fait des enfants et puis c'est beau à voir des enfants.
2 : *chaton* parce qu'il adore les chats, les chatons et leurs couleurs.
3 : *lapin* parce qu'il aime bien les lapins quand ils sautent ; ça fait « bouing bouing ».
4 : *vacances* parce qu'il n'aime pas l'école.
5 : le mot *les*, parce qu'il y en a plusieurs, des machins.
6 : Son mot détesté, c'est sa *sœur*, parce qu'elle ne fait que l'embêter.
7 : Le mot qu'il n'aime pas est le mot *porte*, parce qu'il oublie toujours de la fermer et qu'il se fait gronder par sa maman.

12 1. Les cinq métiers préférés des enfants, dans l'ordre, sont : policier, maîtresse, pompier, coiffeuse et footballeur.
2. Enfant 1 : maîtresse, parce qu'elle aime bien les maîtresses, elle aime bien faire la maîtresse pour donner du travail aux enfants et les mettre en récréation.
Enfant 2 : Pompier parce qu'il y a des tuyaux d'arrosage, il y a des bottes et aussi il y a des combinaisons.
Enfant 3 : Policier parce qu'il aime bien arrêter les gens ; ils vont trop vite et puis ils font des bêtises. Ils volent des trucs aussi, de l'argent, des diamants et tout.
Enfant 4 : coiffeuse parce qu'elle aime bien coiffer les autres, leur faire des chignons, leur couper les cheveux, se servir des ciseaux.

13 a) 1. La Cité radieuse. - **2.** À Marseille - **3.** Conçue peu après la guerre, terminée en 1952. - **4.** Le Corbusier. - **5.** Révolutionnaire.

b) 1. Longueur : 153 mètres ; nombre d'étages : 8 étages doubles (soit 16) ; nombre d'appartements : 337 appartements duplex ; orientation : est-ouest.
  2. C'est la première utilisation du béton brut dans l'architecture moderne ; il est construit sur pilotis ; il y a huit rues, c'est-à-dire huit couloirs. Des ascenseurs venus des États-Unis.
  3. a) un vide-ordures, une cuisinière - **b)** la climatisation - **c)** une isolation phonique par l'utilisation des doubles vitrages - **d)** des liaisons téléphoniques intérieures gratuites.
  4. Il voulait introduire des lieux de rencontre. Ce sont : une section de cinéma, une bibliothèque, une école maternelle, des commerces et un hôtel-restaurant.
  5. « La maison du fada », c'est-à-dire la maison du fou parce qu'on jugeait que cet homme était fou et qu'il allait rendre les gens fous en les empilant de la sorte. Ce bâtiment est maintenant classé monument historique et c'est l'un des sites les plus visités de Marseille.

14 a) 1. Marie-Galante / **2.** Il s'agit d'une île située près de la Guadeloupe (dans les Caraïbes), au climat chaud et humide.

b) **I.** Non, il n'y a pas beaucoup de touristes, d'abord parce qu'il y a très peu d'hôtels et de chambres d'hôtes, ensuite parce qu'il faut prendre un bateau depuis Pointe-à-Pitre et que c'est un peu compliqué.
2. Beauté d'une nature préservée (pas de supermarché, d'autoroute, de béton…), plages splendides et paisibles au bord de la mer des Caraïbes. Chaleur. Dépaysement total, authenticité et surtout qualité du contact avec les habitants.
3. L'habitation Murat est une ancienne plantation de canne à sucre.
4. Le calme, l'absence totale de stress.

15 **a)** **I. Thème du livre :** les couleurs. **Titre : «** Le Petit Livre des couleurs **».**
2. bleu – blanc – vert – jaune – orange – rouge – rose – noir.
3. La peur : le vert ; la colère : le bleu ; la raison : le bleu ; la trahison, l'infamie : le jaune ; l'écologie : le vert. En français, on voit rouge et on rit jaune.
Les Français préfèrent le bleu ; les Japonais, le rouge.
b) Les Grecs utilisaient beaucoup le bleu. **(Faux)** / Le bleu a toujours été une couleur masculine. **(Faux)** / Autrefois, la robe de mariée était rouge. **(Vrai)**
c) **I.** Le violet, l'indigo et l'orangé.
2. Parce qu'elle vante les millions de couleurs des écrans alors que l'œil humain ne peut pas distinguer plus de 200 nuances.
d) L'arc-en-ciel.

16 **a)** **I.** Ce sont des offres d'emploi. **2.** La région Auvergne.
b) Voir la transcription.

17 **a)** un événement littéraire : messages 1 et 5. / une émission de radio : messages 2 et 3. / un concours public : message 4.
b) **Message I**
I. Il est plus particulièrement destiné aux auditeurs de France Bleu Pays d'Auvergne qui aiment lire.
2. Les amis du livre en Auvergne-Bourbonnais organisent leur 5e Train du livre le 14 mai. À cette occasion, le public intéressé peut prendre place à bord d'une locomotive à vapeur et voyager de Clermont-Ferrand à Montluçon en compagnie de 130 auteurs. À Montluçon, une séance de signatures est organisée au centre Athanor ; il est aussi possible de visiter la ville.
3. Les personnes intéressées par cette manifestation doivent téléphoner au 04 73 63 61 50 pour réserver leur place.
Message 2
I. Des insectes. - **2.** « Qu'ils **volent**, qu'ils **sautent**, qu'ils **rampent** ou **piquent**, vous ne regarderez plus les **insectes** avec le même œil. »
Message 3
I. *Rue des entrepreneurs* est une émission de France-Inter présentée par Didier Adès et Dominique Dambert et diffusée (le samedi) à 09h10.
2. Thème abordé dans l'émission du lendemain : l'économie sociale, les coopératives, les mutuelles, les associations.
Messages 4 et 5
I. et 2. Ces deux messages sont destinés à recruter des candidats. Ils ont le même ton incitatif (recours à l'impératif). Ils sont construits sur le même modèle (définition du profil recherché) : *vous avez un projet innovant/vous aimez les livres, alors participez au concours/devenez juré.* Ils se terminent par des informations pratiques : date de clôture des inscriptions et numéro de téléphone ou adresse.
3.

	Vrai	Faux
Le message 4 est un message du ministère de la Recherche.	X	
Le ministère lance un concours de recrutement de 800 chercheurs.		X
Il offre un soutien financier aux lauréats du concours.	X	
On peut se renseigner à l'adresse suivante : www.recherche-gouv.fr		X
Le message 5 s'adresse aux libraires.		X
Le Prix « Les semelles de vent » est décerné par un jury de lecteurs.	X	
Le prix récompense un livre de voyage.	X	
Le prix est décerné le 1er avril.		

18 **a)** Le directeur s'adresse aux étudiants étrangers qui ont fréquenté son école pendant trois ans. **b)** C'est un discours d'adieu à l'occasion de la fin de l'année scolaire. Les étudiants s'apprêtent à repartir dans leur pays. **c)** Le directeur tient à souligner d'une part le plaisir qu'il a eu à les accueillir dans son établissement, d'autre part la nécessité de maintenir le lien.
d) Pour garder le contact avec l'Ecole, le français
je peux :
• écrire au journal de l'école,
• rejoindre les associations d'anciens boursiers ou mettre en place une association qui regroupe d'anciens élèves de Grandes Écoles,
• participer aux festivités organisées par l'Ambassade à l'occasion de la semaine de la langue française et de la francophonie ou du 14 juillet.
je dois :
• lire la presse francophone,
• écouter, regarder des émissions en français.

19 **1.** Dans une maison (un appartement), au printemps, à l'heure du repas (déjeuner ou dîner). Il y a quatre personnes : Patrick, ses parents, et l'amie de Patrick, Kate.
2. Du travail que Patrick recherche pour les vacances d'été, et de la proposition qu'il a reçue. Le premier sujet abordé est un partiel que Patrick et Kate viennent de passer.
3. La Poste. On lui propose un entretien une semaine plus tard pour un travail de facteur en juillet et en août. Il n'est pas satisfait car il aurait préféré travailler à un guichet. Il espère trouver quelque chose de mieux, plus en accord avec ses études.
4. C'est déjà bien d'avoir cette proposition de travail ; c'est la première réponse positive qu'il reçoit ; il sera moins embêté, ennuyé qu'aux guichets ; il aura sans doute ses après-midi libres ; ce n'est pas un travail très physique ; ce qu'il gagnera sera autant d'argent de poche pour la rentrée ; c'est bien pour lui d'avoir des expériences diverses sur son CV.
5. Le ton est familier. **Mots employés :** ouais, bof, ben, tranquille, quoi, super, hein, un job, génial, hyper (physique), sympa, foncer, des trucs.
Expressions : suppression de « ne » dans les formes négatives et transformation de « je » en « ch » : *chais pas, j'suis pas (chuis pas), j'en sais rien ; t'sais (et non tu sais) ; y a (et non il y a) ; c'que j'disais (ce que je disais) ; tu en aurais ras le bol ; ben voilà quoi.*
6. Attends.

20 **1.** en voiture.
2. La discussion porte sur un sujet de société : la sécurité routière.
3. L'imprudence, le non-respect de règles simples du code de la route comme le clignotant, l'alcool au volant, l'alcool test, la répression, la limitation de vitesse, les radars.
4. Les personnes 1. sont parfois d'accord. 2. plaisantent et discutent fermement.
5. Elles donnent 1. des exemples personnels. 3. se réfèrent à des informations vérifiables.
6. Quatre.
7. La conductrice s'adresse au(x) chauffard(s) qui la double(nt), a/ont un comportement incivil. Il s'agit d'un comportement au volant assez fréquent en France, surtout en ville : on peut klaxonner, se mettre en colère et, bien sûr, dans ces cas-là, on tutoie le conducteur ou la conductrice que l'on ne connaît pas mais qui ne mérite pas de considération puisqu'il/elle ne nous respecte pas !
b) Ici, « c'est génial » à propos des radars, a un sens négatif. Le passager l'utilise avec ironie pour souligner que, pour lui, les radars ne résolvent pas vraiment le problème de la vitesse : les automobilistes ralentissent par « peur du gendarme » à proximité du radar et reprennent leur vitesse dès qu'ils l'ont dépassé.

21 **a)** Devant un distributeur de boissons./Des collègues, en tout cas des personnes qui se connaissent bien, qui ont des relations familières. La troisième personne est étrangère./Un fait divers que le premier des interlocuteurs a entendu à la radio.
b) Un joueur, qui a plus de 40 ans, a perdu beaucoup d'argent au casino, en jouant à la roulette ou aux machines à sous. Il a attaqué le casino en justice parce qu'il estime qu'il est responsable de sa ruine. Mais le tribunal ne lui a pas donné raison, il vient de rejeter sa plainte.
- Ils le critiquent parce qu'ils estiment qu'il est adulte et responsable de ses actes. De plus, il ne s'est pas fait interdire l'accès aux casinos, ce qu'il pouvait faire.

c) - Les interlocuteurs évoquent le tabac. Leur ton est plutôt ironique et critique vis-à-vis des gens qui ne veulent pas reconnaître leur propre responsabilité dans ce qui leur arrive.
- Ils ne sont pas joueurs. L'un d'entre eux est même très méfiant parce qu'il sent que s'il commençait, il ne pourrait pas s'arrêter. Seule, la personne étrangère raconte avoir déjà joué une petite somme à l'occasion d'un voyage à Las Vegas.
- Oui, l'un d'eux évoque sa rencontre avec une de leurs connaissances communes, peut-être une ancienne collègue, partie vivre à New York.

d) - demander une information : *c'est quoi cette histoire ?*
- donner son avis : *il me semble*
- demander le sens d'un mot : *qu'est-ce que ça veut dire ?*
- s'étonner : *ah bon, c'est possible ça ?*
- faire un lien avec un autre fait : *ça me rappelle…*
- approuver : *exactement*
- faire une objection : *ça se discute quand même*
- ajouter un argument supplémentaire : *et puis*

22 a) Qu'est-ce qu'un comité d'entreprise et quels sont ses pouvoirs dans une entreprise ?
b) Vrai : 4, 5, 6, 7, 9 - **Faux :** 1, 2, 3, 8, 10
c) 1 : La composition du CE - **2 :** Son rôle et ses attributions - **3 :** Son fonctionnement - **4 :** Son histoire.

23 a) Éducation, art de la rencontre.
b) 1. Les interactions entre les hommes sont délicates, difficiles à cerner. **2.** La complexité d'un homme est inférieure à celle d'une communauté. **3.** Nous savons faire ensemble des choses que nous ne savons pas faire seuls. C'est grâce aux autres que nous développons nos capacités.
c) 1. On peut dire « je » parce que d'autres nous ont dit « tu », « je dis "je" parce que j'appartiens à l'espèce humaine et que j'ai rencontré d'autres hommes ».
2. educare (*nourrir, ouvrir un crâne et le remplir de savoir*) et educere (*prendre l'enfant par la main et le conduire hors de lui-même, faire qu'il dise je, c'est-à-dire faire qu'il parle de lui à la 3e personne*).
3. La deuxième, « educere » parce que, selon lui, « le savoir est utile, merveilleux mais la finalité du savoir, c'est la rencontre ».
4. L'art de la rencontre devrait être la finalité du savoir, de l'éducation, de tout ce que l'on fait dans les écoles et les universités.
d) L'école est essentielle pour l'avenir de l'humanité surtout parce qu'elle prépare les jeunes à la réflexion (c'est-à-dire à participer au développement de l'intelligence humaine).

II. PRODUCTION ORALE

24 EXEMPLE DE PRODUCTION SUR LE FILM « HIROSHIMA MON AMOUR »
Hiroshima mon amour est un des « films-culte » du cinéma français. Il est sorti en 1959. Il a été réalisé par Alain Resnais, sur un script de Marguerite Duras. Les deux interprètes principaux sont Emmanuelle Riva et un acteur japonais, Eiji Okada.
L'histoire se passe en 1957 au Japon. Il y a deux personnages seulement : elle, c'est une actrice française venue à Hiroshima pour tourner un film sur la paix, lui, un architecte japonais.
L'histoire centrale est toute simple : ils se rencontrent et ils s'aiment. Mais pendant les deux jours que dure leur histoire d'amour, c'est l'Histoire qui resurgit en flash-back. Celle d'Hiroshima d'abord et parallèlement, celle de la guerre en France. Elle, c'était une toute jeune fille à cette époque. Elle vivait à Nevers, une petite ville du Centre, elle a aimé un jeune soldat allemand. Le jour de la libération de la ville, celui-ci a été tué, elle-même a été tondue, on lui a rasé la tête, en signe d'infamie pour avoir aimé un ennemi. Cette histoire, elle a voulu l'étouffer, l'oublier complètement. Elle la raconte pour la première fois à son amant japonais. Et derrière ces deux histoires qui se croisent, il y a les interrogations sur la mémoire et l'oubli, l'horreur de l'oubli. L'oubli d'Hiroshima et l'oubli de l'amour.
On ne sait pas vraiment comment l'histoire finira, si les deux personnages vont se séparer pour toujours après cette brève rencontre, s'oublier à leur tour…
C'est un film complètement envoûtant ; les longs travellings de Resnais, la musique, les dialogues si particuliers de Duras, répétitifs, lancinants*, l'interprétation, tout contribue à créer l'envoûtement. Je n'ai pas pleuré, ce n'est pas un film qui fait pleurer, c'est un film qui touche très profondément. Il dit de manière

bouleversante et très originale, la douleur de la guerre et de l'amour, de la mémoire et de l'oubli. Mais c'est un film qu'on n'oublie pas, c'est un film qu'on peut voir et revoir près de cinquante ans après sa sortie. Et j'ai toujours dans la tête cette phrase qui revient régulièrement dans le film : « Tu n'as rien vu à Hiroshima ».
* qui reviennent de façon obsédante, douloureuse.

25 Il y a des gens vraiment bizarres dans la vie ! Mon voisin, Karl, par exemple. Savez-vous ce qu'il a fait hier ? Il a sauté par la fenêtre en pleine nuit. Résultat : il est à l'hôpital avec une jambe cassée. Comme il fait chaud en ce moment, il dormait, la fenêtre ouverte quand, tout à coup, vers deux heures du matin envi-ron, il a été brusquement réveillé par des bruits qui venaient de la rue. Il ne rêvait pas : il a tendu l'oreille et puis est sorti du lit. Et là, il a aperçu deux individus qui étaient en train de cambrioler une voiture garée juste en face de son immeuble. L'un d'eux s'était déjà emparé de l'autoradio. Il ne pouvait pas les laisser filer comme ça : il s'est précipité à la fenêtre et de sa voix rauque a crié : « Mais, vous, là, ne vous gênez pas ! ». Les cambrioleurs ont pris leurs jambes à leur cou et se sont enfuis. Sans doute encore endormi, Karl s'est mis en tête de les poursuivre mais c'était sans compter qu'il était au 1er étage... Il s'est retrou-vé très vite sur le trottoir, hurlant de douleur. Par bonheur, une dame qui rentrait de l'Opéra a vu la scène de loin et s'est portée à son secours. Les pompiers sont arrivés rapidement et l'ont conduit à l'hôpital.

26 PROPOSITION
Le 1er mars 1924, à GLOZEL, petit hameau du département de l'Allier, à une vingtaine de kilomètres de Vichy, un jeune paysan de 17 ans, Émile FRADIN, laboure un champ lorsqu'une de ses vaches tombe dans une fosse. Il découvre alors des fragments de poteries, des galets inscrits et des briques gravées. Cette découverte intéresse de nombreuses personnes, dont le Docteur MORLET, médecin à VICHY, archéolo-gue amateur averti qui entreprend des fouilles en 1925. Personne ne doute alors de l'authenticité de la découverte. Toutefois, en 1926, certains scientifiques commencent à douter de l'authenticité des objets trouvés, incompatibles en particulier avec les théories officielles sur l'écriture. En 1927, le débat entre glo-zéliens et anti-glozéliens est de plus en plus vif. Un procès est intenté contre Émile FRADIN. En 1931, Émile FRADIN gagne son procès et en 1932 ses diffamateurs sont condamnés. De 1933 à 1950, l'affaire s'apaise, les fouilles se poursuivent jusqu'à la mesure d'interdiction prise par le gouvernement de Vichy. De nou-velles techniques apparues en 1950 puis, dans les années 70, la datation au Carbone 14 et la thermolumi-nescence prouvent l'authenticité des objets trouvés. Les ossements auraient entre 15 000 et 17 000 ans, les céramiques 5 000 ans, les tablettes gravées, 2 500 ans. Malgré de sérieuses études entreprises, beaucoup de personnes demeurent sceptiques. Après 1980, Émile FRADIN a été officiellement réhabilité et décoré des palmes académiques. Jusqu'à nos jours, l'intérêt pour GLOZEL et la polémique sont toujours présents. De nouvelles fouilles ont été entreprises et des scientifiques de divers pays, dont Hans-Rudolf HITZ, de nationalité suisse, essaient de déchiffrer les tablettes. Il existe de nombreuses publications sur GLOZEL. Il est conseillé d'aller visiter le musée de GLOZEL car, après la mort d'Émile FRADIN, les objets seront sans doute transférés au musée de Saint-Germain-en-Laye.

27 PROPOSITIONS
Ordre choisi pour les photos : 3, 2, 1
Catherine et Laurent se promènent en forêt avec des amis. Ce sont deux bavards, et ils sont si passionnés par leur conversation qu'ils marchent lentement, sans faire attention aux amis qui marchent loin devant. Quand le chemin sort de la forêt ils sont tous seuls : leurs amis ont disparu. Devant eux il y a une grande prairie, et au milieu de la prairie, un château. Ce château est étrange : il n'a aucune clôture et une de ses portes est grande ouverte, malgré le froid de cet après-midi d'hiver. Comme ils sont aussi curieux que bavards ils s'approchent de cette porte pour regarder ce qu'il y a à l'intérieur. Ils voient une table au milieu d'une grande salle ; le couvert y est mis comme pour un repas de fête. Un homme, assis près de la table, leur dit : « Entrez mes amis. C'est pour vous que j'ai mis le couvert. Il y a des mois que je vous attends. »
Ordre choisi pour les photos : 2, 3, 1
Le baron du Cassou est un personnage original : il vit tout seul dans un château sans chauffage central, sans eau courante ni électricité, au milieu d'une prairie. Il a invité ses amis Catherine et Laurent à venir passer quelques jours chez lui. Il est allé les chercher à la gare la plus proche (10 km) avec sa voiture à cheval. Le premier soir s'est très bien passé : ses amis étaient contents de le retrouver car ils ne l'avaient pas vu depuis plusieurs années, et ils ont bavardé tard dans la nuit devant le feu de cheminée. Mais dès le lende-main matin cela s'est gâté : le baron les a réveillés à 5h pour les emmener à la chasse. Comme ils ont refusé, il s'est mis en colère et ils se sont fâchés. Catherine et Laurent ont décidé de repartir, mais leur hôte n'a pas voulu les ramener à la gare. Alors ils sont partis à pied sans rien dire à leur hôte qui les attend pour le déjeuner.

28 PROPOSITION *(les phrases en italiques sont des informations supplémentaires par rapport aux notes)*
L'Académie française est une institution française très ancienne puisqu'elle a été fondée en 1635, *sous le roi Louis XIII*, par le cardinal de Richelieu. Sa mission était de fixer la langue française, alors toujours *en formation pour en faire une langue de culture et d'administration qui renforce l'État central, lui aussi en formation à la même époque, et bien sûr le pouvoir royal.* Depuis sa fondation, elle n'a connu qu'une interruption, au moment de la Révolution, en 1793. Mais elle a été rapidement rétablie *par Napoléon. C'est aussi ce dernier qui l'a installée*, en 1805, sur les quais de la Seine, dans le cadre de l'Institut de France. Auparavant, elle siégeait au Louvre.
Elle se compose de 40 académiciens. Ce sont tous des personnalités déjà célèbres pour leurs travaux dans différents domaines. En effet, il ne s'agit pas seulement de gens de lettres mais aussi d'historiens, de scientifiques ou encore d'hommes d'État.
Ils sont élus à vie par leurs pairs. C'est donc seulement à la mort de l'un d'eux qu'un nouveau membre peut déposer sa candidature auprès du Secrétaire perpétuel. Il doit recueillir la majorité absolue des votes pour être élu. Il peut alors se faire confectionner le célèbre habit vert (accompagné d'un chapeau très particulier, le bicorne, et de l'épée) qui date également de Napoléon et devenir à son tour un des « Immortels », puisque c'est ainsi qu'on surnomme les académiciens.
L'Académie est restée exclusivement masculine pendant près de 350 ans !!! Ce n'est qu'en 1880 qu'une femme, Marguerite Yourcenar*, en a enfin franchi les portes. Elles sont aujourd'hui 4 académiciennes et c'est une femme qui a été élue Secrétaire perpétuel : l'historienne spécialiste de la Russie, Hélène Carrère d'Encausse.
Le rôle actuel de l'Académie reste avant tout de veiller sur la langue française, sur le maintien de sa qualité, en particulier en luttant contre de trop nombreux emprunts aux langues étrangères (l'anglais surtout). Ses membres participent à des commissions qui proposent de nouveaux mots français, précisément pour éviter les emprunts. C'est l'Académie qui définit les règles du « bon usage » de la langue, celles de l'orthographe notamment. Elle élabore un dictionnaire, dont la neuvième édition depuis sa création est en cours. Elle a aussi un second rôle : *le mécénat.* Elle aide des écrivains en décernant chaque année de nombreux prix. En 1986, elle a créé le Grand Prix de la Francophonie.
L'« illustre assemblée », comme on la surnomme souvent avec un mélange de respect et d'ironie, a une double image auprès des Français. D'un côté, elle jouit d'un grand prestige, être académicien est un titre honorifique très recherché et envié dans le monde des lettres, de l'autre on se moque un peu de cette « vieille dame » (un autre de ses surnoms) qui prétend dire comment on doit parler et semble souvent aller contre la modernité.
Voir note activité 103 (Production écrite).

29 PROPOSITION
De 1930 à 1992, les célèbres Usines Renault étaient installées sur l'Ile Seguin, à Boulogne-Billancourt, près de Paris. Entourée par la Seine, l'île et ses bâtiments industriels contrastaient avec leur environnement encore champêtre et verdoyant.
En 2000, le site étant à l'abandon depuis plusieurs années, un riche homme d'affaires, François Pinault, président d'honneur du groupe Pinault-Printemps-Redoute, également grand collectionneur d'art contemporain, projette de créer, sur une partie de ce site, une fondation d'art contemporain. Sur le reste du site, il est prévu de construire et d'aménager des logements, un parc, et très probablement un musée Renault.
Tout est remis en question en mai 2005 avec la décision de François Pinault de renoncer à son projet. Les bâtiments démolis, l'île reste nue, en chantier, en attente d'un nouveau projet, incertaine sur son avenir.
On s'interroge : après la perspective d'un riche avenir culturel, d'une préservation du site, est-il possible que l'île soit livrée aux promoteurs ? Y aura-t-il de grands ensembles immobiliers comme ceux qui sont visibles à l'arrière-plan ?
Mais désormais les décisions sont prises et l'avenir de l'île est tout tracé. L'île va connaître une nouvelle vie organisée autour d'un centre de recherches scientifiques, l'INCA (Institut national du cancer), mais aussi de résidences pour chercheurs et artistes, et d'un complexe hôtelier de luxe. Il est également prévu de construire un nouveau quartier, un lieu de vie, avec des logements, des bureaux et un groupe scolaire. L'Ile Seguin va renaître.

30 PROPOSITION
Les réseaux d'échange de savoirs sont à l'origine l'idée d'une institutrice, Claire Hébert-Suffrin qui s'est rendu compte, dans les années 1970 que ses élèves avaient des difficultés d'apprentissage mais que chacun avait des savoirs non reconnus par l'école. Il en a résulté la philosophie des réseaux d'échange de

savoirs : chacun sait et peut transmettre quelque chose. Le principe est de mettre en relation des personnes qui ont des savoirs à transmettre et qui désirent en acquérir. Cet échange est gratuit et il n'est pas nécessaire d'avoir des diplômes pour transmettre les savoirs que l'on a : toute personne, quels que soient son âge, sa profession, sa nationalité, son niveau d'études ou son statut social, peut participer à un réseau d'échange de savoirs. Il suffit pour cela de s'adresser à l'équipe des animateurs du réseau et de remplir une fiche avec ses savoirs, ses offres et ses demandes. Chaque réseau a ses propres règles de fonctionnement, son calendrier de rencontres et de réunions. Il s'y crée une véritable solidarité et des liens d'amitié.

31 PROPOSITION

Je travaille dans une entreprise spécialisée dans la fabrication de cheminées d'intérieur et de poêles de chauffage, la Société Vulcain. Nous sommes situés en zone artisanale à proximité de notre métropole régionale. La Société Vulcain a été créée il y a plus de 30 ans maintenant. Elle compte 80 employés et un réseau important de revendeurs tant en France (200) qu'à l'étranger (Europe de l'Est, du Sud…). À sa tête : un PDG, un directeur de production et deux directeurs commerciaux.

Ce qui fait la force de notre entreprise, c'est d'une part sa dimension à taille humaine, d'autre part sa gamme de produits à la fois traditionnels et innovants. Depuis deux ans, nous faisons des barbecues pour le jardin, par exemple.

Je dois dire aussi que le marché profite de l'augmentation du prix du pétrole et de l'intérêt croissant du public pour les énergies renouvelables.

Moi, je suis secrétaire général(e), j'assure donc la coordination entre la direction générale et les différents services. En clair, cela signifie que je m'occupe non seulement de l'organisation matérielle, du planning des réunions mais aussi qu'en fin de mois, je fais la synthèse de l'activité et que j'en rends compte. En plus de cela, je dois m'assurer de l'application de la législation du travail et gérer les réunions du comité d'entreprise. Je reconnais que les tâches que je dois accomplir sont très diverses mais c'est justement ce qui me plaît. Si je devais résumer en deux mots ce qui fait l'intérêt de mon travail, je dirais : responsabilités et autonomie.

32 PROPOSITION

Le mot français que je préfère est *aimer*. On ne peut pas vivre sans aimer. On aime ses parents, sa famille, ses amis, sa femme, son mari, ses enfants, sa ville, son pays, son chien, son chat… Ce sont autant d'amours différentes mais autant d'amours nécessaires pour s'épanouir. *Aimer* c'est aussi être *aimé(e)*. *Aimer* c'est aussi un mot qui en contient d'autres que j'aime, liés à l'idée d'*aimer* : l'*âme* (l'âme, le cœur de toute chose), l'*ami(e)* et aussi le *mari* (qui nous accompagne dans notre vie), *la rime* (les rimes des poésies qui chantent l'amour), *la mer* (aussi vaste que tous les amours), autant de mots qui en font oublier un autre, le mot *amer*, le goût que nous gardons parfois des amours et des amitiés malheureuses…

N.B. Les 10 mots de la Francophonie sont : accents, masques, escale, flamboyant, tresser, kaléidoscope, badinage, soif, outre-ciel, hôte.

33 PROPOSITION

Je suis tout à fait favorable à l'interdiction totale de fumer dans les lieux publics.

D'abord, les non-fumeurs ont le droit absolu de ne pas subir le tabagisme des autres. Dans d'autres domaines, sur la route par exemple, on ne permet pas la mise en danger de la vie d'autrui. Pourquoi faire exception pour le tabac : on connaît très bien maintenant les dangers du tabagisme passif !

Certes, il existe théoriquement en France, dans les espaces publics, des zones fumeurs et non-fumeurs. Mais cette séparation est insuffisante et souvent très hypocrite puisque la plupart du temps, ces espaces ne sont pas fermés : vous pouvez bien au restaurant demander une table non-fumeurs, cela ne vous protège pas de la fumée de vos voisins qui sont souvent à moins de trois mètres de vous… Et dans un autre pays qui différencie strictement les zones, j'ai vu quelque chose qui m'a beaucoup choqué(e) : des parents attablés avec de jeunes enfants dans le petit espace clos de la zone fumeurs d'un restaurant !

C'est d'autre part une mesure qui aidera les fumeurs eux-mêmes à diminuer leur consommation. Je suis persuadé(e) que la plupart d'entre eux sont prêts à l'accepter : on s'est par exemple aperçu depuis longtemps que dans les trains, même les fumeurs préféraient voyager en voiture non-fumeurs, ce qui a conduit finalement à supprimer totalement les voitures fumeurs largement désertées. La plupart des compagnies aériennes ont elles aussi interdit totalement le tabac à bord des avions ; ça paraissait impossible il y a quelques années ! Et vous connaissez des fumeurs qui ont cessé de voyager à cause de ça ? Ou des cinéphiles qui ne vont pas au cinéma parce qu'ils ne peuvent pas tenir sans leur drogue ?

Je suis convaincu(e) que l'interdiction du tabac dans tous les lieux publics, qui existe déjà dans de nombreux pays, peut s'appliquer facilement chez nous aussi et qu'il faut prendre cette décision sans attendre.

34 PROPOSITION

J'ai une opinion assez mitigée parce que je ne suis pas spécialiste. D'un côté, je redoute les conséquences des OGM sur l'environnement, sur la santé car nous manquons de recul pour apprécier la situation dans sa globalité : je fais très attention personnellement aux produits que j'achète par exemple, je suis aussi contre le diktat imposé par les grandes multinationales ; de l'autre, je pense qu'il ne faut peut-être pas négliger la chance que les OGM représentent pour l'agriculture de demain. En effet, si nous avons des plantes plus résistantes aux maladies, à la sécheresse, nous serons moins dépendants de la nature, si nous utilisons moins d'azote ou de pesticides, l'environnement sera moins pollué. Il faut trouver un équilibre et surtout faire passer l'intérêt des hommes avant l'intérêt économique de quelques pays

35 PROPOSITION

Je voudrais trouver un club où je pratiquerais une activité sportive, mais qui ne demande pas trop d'efforts physiques, afin d'oublier les contraintes et le stress de mon travail. Je ne recherche pas la compétition mais la détente, la possibilité de bouger, de sortir, de respirer… Je voudrais aussi un club sympa avec des gens agréables qui pourraient devenir des amis et avec lesquels j'aurais des conversations qui ni tourneraient pas toujours autour du travail… J'hésite encore, j'ai pensé à un club de randonnée ou pourquoi pas de pétanque… c'est un sport qui n'est plus « réservé » aux seniors ni aux hommes ! Je crois que je vais demander à faire un essai, et je choisirai après !

36 PROPOSITION (à partir de la consigne 2-B)

Je suis actuellement responsable du service comptabilité dans une société qui fabrique des produits de nettoyage. C'est une entreprise d'un peu plus de 80 personnes qui marche bien. Je suis plutôt satisfait(e) de mon travail : je n'ai pas de stress particulier, l'ambiance est bonne, les relations avec les collègues agréables. Pourtant quelquefois, je trouve tout ça bien monotone, ces journées qui se ressemblent toutes au bureau… Une fois, de gros clients étrangers sont venus nous voir. J'ai été chargé(e) d'organiser un petit voyage touristique pour eux, de les emmener voir des endroits intéressants… Ils ont été enthousiasmés par ce que nous avons fait. Plus récemment, j'ai fait un autre circuit pour des amis de passage et, là aussi, ça s'est très bien passé. Alors depuis, j'ai un peu envie de me lancer là-dedans : l'organisation et l'accompagnement de circuits touristiques pour des voyageurs qui ont envie d'itinéraires différents, personnalisés… Je connais très bien notre pays et j'aime le faire découvrir. D'un autre côté, j'ai un bon contact avec les gens, je parle plusieurs langues. Ça pourrait marcher !

37 PROPOSITION

J'ai fini mes études mais je ne désire pas me lancer dans la vie active tout de suite. Je parle bien anglais et voudrais en profiter pour partir à la rencontre d'autres pays et d'autres cultures. Je n'ai pas fixé mon choix sur une destination précise mais je pense aller vers des pays très différents du mien : vastes, froids, montagneux, où la nature est très présente, peut-être le Canada ou alors la Nouvelle-Zélande. Je ne sais pas encore. Je pense qu'ensuite je reviendrai plus fort(e) pour affronter le monde du travail et la compétition. J'envisage de trouver un petit boulot et de vivre le plus possible au contact des gens. Je voudrais bouger aussi, visiter ce que le touriste ordinaire ne visite jamais…

38 PROPOSITION

Est-ce que je suis quelqu'un d'organisé ? Hum, sûrement pas… Pourtant, j'ai besoin d'ordre : je ne supporte pas de vivre dans une maison en désordre. En particulier, je ne peux pas me mettre au travail si mon bureau est encombré. Je suis donc bien obligé(e) de ranger ! Mais mon gros problème est le tri : qu'est-ce qu'il faut garder ? Qu'est-ce que je peux jeter ? C'est particulièrement difficile si j'ai laissé un peu trop de papiers s'accumuler. Au début, je fais le tri sérieusement et puis au bout d'un moment ça m'énerve et je jette tout ce qui reste ! Et dans ce cas, le lendemain, j'ai justement besoin d'un des papiers qui sont partis à la poubelle !
Je suis globalement tout à fait d'accord avec les conseils donnés dans l'article « Savoir s'organiser » mais le problème est de les appliquer.

39 PROPOSITION

J'ai 21 ans, je suis étudiante en psychologie. Je viens de m'engager dans une association qui propose du soutien scolaire aux enfants dans les quartiers défavorisés de ma ville. Ce choix me permet d'enrichir mon travail universitaire tout en aidant les autres. Bien sûr, il faut beaucoup s'impliquer, j'ai déjà vécu ce type d'engagement il y a quelques années lorsque j'encadrais des colonies avec des enfants ou des personnes handicapées. Il faut essayer de gagner la confiance, ce qui n'est pas facile mais fait partie du défi. Voir un gamin réussir son examen, par exemple, et se dire qu'on y est peut-être pour quelque chose, ça doit être super. Pour l'instant, j'ai surtout peur de ne pas donner autant de temps que je voudrais.

40 PROPOSITION

Bien, alors moi, je voudrais surtout vous parler du séminaire *Comprendre les tendances de l'informatique* qui aura lieu du 4 au 6 décembre 2006 à Paris. J'ai eu les organisateurs au téléphone il y a trois jours. Ils m'ont donné les grandes lignes du programme que je vous communique donc.

Il s'agit d'une formation de 21 heures au total sur les réseaux, Internet, les grands virages technologiques. Tout à fait ce qui nous préoccupe en ce moment.

Le séminaire est, je l'ai dit, organisé à Paris, à l'Hôtel Méridien Montparnasse du 4 au 6 décembre prochain. Les horaires sont les suivants : le 1er jour 9h30-17h30 ; les jours suivants 9h-17h ; le petit déjeuner d'accueil est servi à partir de 9h le 1er jour et à partir de 8h30 les jours suivants. Les frais d'inscription s'élèvent à 1980 euros, documentation, petits déjeuners, déjeuners et pauses café inclus.

Des prix préférentiels ont été négociés avec la direction de l'hôtel pour les chambres. Il appartient à chaque participant de réserver sa chambre.

Vous pouvez vous inscrire par téléphone, par fax, par courriel ou par courrier. Dès que vous vous serez inscrit, vous recevrez une convocation avec toutes les indications nécessaires sur l'organisation matérielle du séminaire (plan d'accès, programme détaillé…).

Si vous voulez en savoir plus sur le montant des frais et les modalités d'inscription vous pourrez consulter le tableau affichage à l'entrée du service dès demain. Je vous remercie de votre attention.

41 PROPOSITION

Attendez un instant avant de commencer, j'ai quelque chose à vous dire. J'ai lu un petit communiqué dans le journal d'hier à propos de la Fête de la Musique, le 21 juin ; ça tombe un mercredi cette année. La Mairie recherche des musiciens, des groupes amateurs. Il faut s'inscrire le plus tôt possible auprès du service d'action culturelle.

Il y aura la participation de l'école de musique et de la chorale « La Joie de vivre », une exposition interactive autour du blues à la médiathèque. Apparemment, les groupes « Thatum » et « Tin-Express » seront là aussi. Ça vous dit ? Je me charge de contacter la Mairie ?

42 PROPOSITION

Bonjour tout le monde ! Ça va ? Comment allez-vous ? J'ai une super nouvelle ! Vous connaissez tous Pat Murphy, n'est-ce pas ? Qui ne le connaît pas ! Vous savez aussi que c'est un ami et que nous avons commencé dans le même club. La différence, c'est moi je ne suis pas devenu un grand champion comme lui ! Eh bien figurez-vous qu'il va venir passer quelques jours de vacances chez moi après la compétition du mois prochain. J'ai pensé que vous aimeriez le rencontrer et parler avec lui. Il est aussi grand et fort que vous le voyez à la télévision. Il m'a annoncé qu'il s'était fait couper les cheveux : ça doit le changer un peu. Mais vous savez, malgré son air un peu froid, c'est quelqu'un de très timide, très simple et très gentil. D'ailleurs, quand je lui ai demandé s'il accepterait de passer au club, il a dit oui tout de suite ! Si vous voulez, on pourra lui demander de diriger notre entraînement : il nous donnera sûrement de bons conseils ! C'est une bonne nouvelle non ? J'ai hâte qu'il soit là !

43 PROPOSITION

Je vais vous présenter le légume le plus consommé à travers le monde : la pomme de terre. On compte pas moins de 4000 variétés dans le monde sans compter les espèces apparentées.

Son histoire a commencé il y a 3000 ans. En effet, les Incas la cultivaient déjà sous le nom de « papa » 1000 ans av. J.-C. Elle a été introduite en Europe vers le milieu du XVIe siècle par les Espagnols qui l'ont découverte dans les Andes. Elle est arrivée en France en 1616, elle a gagné ses lettres de noblesse lorsqu'elle a été présentée à la table du roi Louis XIII.

Aujourd'hui, 96 % des foyers français la cuisinent dont 80 % au moins une fois par semaine. La consommation annuelle par habitant est de 40 kg en frais et de près de 25 kg en produits transformés. Avec 80 calories pour 100 g, c'est un aliment diététique à condition toutefois d'être préparé sans excès de matière grasse.

311,4 millions de tonnes sont récoltées dans le monde. La Chine, la Russie, l'Inde, les États-Unis et l'Ukraine sont les cinq premiers producteurs. Avec 6,4 millions, la France occupe la 11e place mondiale et la 3e de l'Union européenne.

44 PROPOSITION DE « CANEVAS »

Je voudrais tout d'abord vous remercier de m'avoir invité(e) à ce goûter-débat car c'est pour moi une excellente occasion de pratiquer le français que j'étudie ici, mais aussi de vous parler de mon pays et de ses traditions. J'ai pensé que vous aimeriez savoir comment sont organisés les repas et ce que nous mangeons, connaître un peu nos spécialités.

Nous avons aussi trois repas : le petit-déjeuner, à… le déjeuner à… et le dîner vers… C'est plus tôt (*tard*) qu'ici parce que…. En effet, les heures de travail sont… des heures d'ici. Notre petit-déjeuner est semblable au vôtre (*assez différent du vôtre qui est vraiment trop petit pour nous !*). Chez nous le principal repas c'est…, toute la famille est réunie (*mais la famille mange rarement ensemble parce que…*). La composition des repas est à peu près la même (*assez différente*). Il y a généralement un(e)… puis… et aussi… et… Nous mangeons aussi sur une table, comme en France, avec des couverts (*nous mangeons généralement sur une table basse/une natte/… avec seulement une cuiller/des baguettes/les mains*). Les plats sont apportés les uns après les autres (*en même temps*) et chacun se sert seul (*et chacun est servi par…*). Nous avons beaucoup (*peu*) de traditions et (*mais*) elles sont très importantes pour nous. Notre aliment principal est… ; il n'y a pas de repas sans… (*même au petit-déjeuner*). La spécialité la plus connue c'est le (*la*)… C'est un plat à base de… et de… préparé avec… On le mange généralement chaud/froid avec… C'est délicieux ! Si vous voulez, je pourrais revenir vous voir et en préparer.

45 PROPOSITION

La conduite accompagnée est une manière d'apprendre à conduire largement développée mais on ne sait pas toujours en quoi elle consiste exactement. Je vais donc vous expliquer comment elle fonctionne en France. Mais d'abord quand et pourquoi a-t-elle été mise en place ?

Elle date de 1990 et répond à la volonté de diminuer le nombre d'accidents dans lesquels de jeunes conducteurs sont impliqués. Les accidents de la route représentent en effet la première cause de mortalité chez les jeunes. On en devine facilement les raisons : le goût du risque lié à l'âge, le manque d'expérience et de maîtrise du véhicule. Il fallait trouver des solutions…

Notez que la conduite accompagnée n'est toutefois pas réservée aux seuls jeunes. Les adultes qui apprennent à conduire peuvent aussi choisir cette formule mais c'est beaucoup plus rare.

Alors voyons maintenant comment ça marche.

À partir de 16 ans, le jeune apprenti conducteur peut s'inscrire dans une auto-école, il suit une formation normale, théorique, pour préparer l'examen sur le Code de la route, et pratique : au moins 20 heures de conduite. À la fin de cette formation, il passe l'examen théorique. S'il réussit, il reçoit une attestation et il a la possibilité de commencer la « conduite accompagnée ». C'est-à-dire qu'il peut conduire une voiture mais jamais seul, avec un adulte qui en a auparavant demandé l'autorisation à son assurance. Évidemment, cet adulte est souvent un des parents. La voiture doit porter bien clairement le panneau « Conduite accompagnée » et respecter des limitations de vitesse inférieures aux limitations normales.

Le jeune devra alors conduire sur au moins 3 000 km, il n'y a pas de possibilité de contrôle bien sûr mais il note les kilomètres parcourus dans un livret et il est obligé de retourner deux ou trois fois dans son auto-école où son moniteur peut vérifier sa progression.

À l'âge normal, c'est-à-dire à partir de 18 ans, il peut passer l'examen pratique du permis. Il a davantage de chances que les autres de l'obtenir du premier coup puisque c'est le cas pour 80 % des candidats qui ont choisi cette formule contre 50 % des candidats « normaux ».

En outre, il paiera moins cher que ces derniers pour sa prime d'assurance, ce qui compense le coût plus élevé de la formation.

La conduite accompagnée est-elle donc la formule idéale ?

C'est l'opinion de la Prévention routière : ceux qui la choisissent ont une meilleure maîtrise de leur véhicule, ils ont incontestablement acquis déjà une certaine expérience.

Pourtant elle n'est adoptée que par environ un quart des futurs conducteurs. On peut se demander pourquoi. Le coût ? Les contraintes ? L'indisponibilité des parents ? On peut sans doute aussi le regretter.

46 PROPOSITION

Avez-vous peur du loup ? Eh bien, ne vous promenez pas du côté des Alpes car vous risquez de le rencontrer ! En effet, il y a été réintroduit en 1992 et depuis, la controverse fait rage en France : d'un côté il est protégé, de l'autre, il est traqué.

Le loup est protégé par exemple par la directive Habitats de 1992 et la réglementation française d'application de cette législation européenne. La directive Habitats a pour objectif de contribuer à assurer la conservation de la diversité biologique en Europe, grâce à la protection des habitats naturels et des espèces les plus menacées de la Communauté, tout en tenant compte des exigences économiques, sociales, culturelles et régionales.

Qui le traque ? Non seulement les bergers qui supportent mal de voir leurs troupeaux attaqués – les loups provoquent de gros dégâts –, mais aussi la ministre de l'Écologie. Elle vient en effet d'autoriser 6 abattages annuels au lieu des 4 prévus et d'adopter un Plan d'action prévoyant des quotas de tirs annuels jusqu'en 2008. Selon la législation européenne et française, un tir de loup est possible, lorsque les dégâts aux élevages sont « importants », qu'« il n'existe pas d'autre solution satisfaisante » et que l'état de conservation de l'espèce est « favorable ».

Les associations de défense des animaux comme l'ASPAS, l'Association de protection des animaux sauvages, s'organisent et militent au nom du respect de la biodiversité. Les écologistes, de leur côté, ne cessent de recommander des mesures de protection comme le parcage nocturne, les clôtures, le gardiennage, le recours aux chiens Patou – berger des Pyrénées qui reste au sein du troupeau de moutons et qui repousse tous les agresseurs potentiels, les loups, mais aussi les chiens errants. Toutes ces mesures devraient permettre de freiner les attaques mais un quart à un tiers des éleveurs seulement adoptent ce genre de mesures. Les écologistes souhaitent par ailleurs que les tirs du loup ne soient autorisés qu'en dernier recours.

Dans ce climat de tension, il faut signaler l'originalité du programme *PastoraLoup* qui propose un soutien bénévole complémentaire aux éleveurs et bergers dans la protection de leurs troupeaux. Il s'agit en fait de renforcer la présence humaine auprès du troupeau et de participer aux divers travaux (clôture, parcage) nécessités par le retour du loup.

Une initiative qui peut contribuer à apaiser la colère des bergers qui travaillent souvent dans des conditions difficiles.

III. INTERACTION ORALE

47 **a) PROPOSITION**

Admiratif : Chapeau ! c'est rudement courageux de tourner la page comme ça et de recommencer une vie complètement différente. Se lancer dans l'aventure quand on n'est plus tout jeune et qu'on est installé ! Il faut oser ! Moi, je n'en serais pas capable…

Sceptique : Mmm… ça semble un peu risqué quand même. Vous croyez que vous allez tenir longtemps ? Au début, c'est le paradis évidemment, mais au bout d'un ou deux hivers, vous croyez que ça aura toujours le même charme ?

Jaloux : Moi aussi, j'en rêve de partir mais tout le monde n'a pas la possibilité de réaliser ses rêves. Il y a des obligations… Vous avez de la chance, vous. Vous avez pu le faire.

b) PROPOSITION

Cette fois vraiment, je n'en peux plus. C'est de pire en pire. Même la nuit, j'ai l'impression qu'ils n'arrêtent pas de tourner au-dessus de nos têtes. Et dans la journée… On dirait qu'en quelques années le trafic a doublé. Et quand je pense à ce qui nous attend avec l'A320. Ah je voudrais qu'ils habitent là, tous ceux qui osent dire qu'il sera silencieux ! Non, ça ne peut pas continuer comme ça.

c) 1 : stupéfaction / **2 :** ironie / **3 :** ironie / **4 :** compréhension/commisération / **5 :** irritation / **6 :** irritation/indignation.

48 **a) 1 :** nostalgie/espoir - **2 :** colère - **3 :** résignation/nostalgie - **4 :** curiosité - **5 :** satisfaction - **6 :** satisfaction

b) PROPOSITION (*Indignation*) Tout raser comme ça… Quel gâchis ! On aurait pu les transformer ces immeubles au lieu de tout casser. Ils étaient solides, vous savez, ils auraient pu durer longtemps. Bien sûr, on les trouvait pas beaux mais si on les avait entretenus, repeints… Et ils en logeaient du monde ! Quand je pense qu'on démolit alors qu'il y a des gens qui dorment dans la rue, vous comprenez ça vous ?

49 **PROPOSITION 1 :** Des policiers à l'école… Pourquoi pas si c'est ce qu'il faut pour y rétablir l'ordre ? Les jeunes eux-mêmes ont besoin de sécurité. Et ils ont besoin aussi d'apprendre à respecter des règles, d'apprendre qu'ils vivent en société et qu'il y a des limites à ce qu'on peut faire. C'est bien dommage si c'est la police qui doit le leur apprendre mais le plus important, c'est qu'ils l'apprennent. En revanche, je ne vois pas en quoi ça regarde l'école si une fille majeure veut poser pour *Playboy*. Elle n'a pas posé dans une salle de classe, non ? Alors, c'est son affaire…

PROPOSITION 2 : Enfin une bonne nouvelle, la taxe sur les billets d'avion va se mettre en place. Quand on a les moyens de se payer un voyage au bout du monde, on peut bien accepter de donner un peu d'argent pour l'aide médicale aux pays en développement. C'est tellement dérisoire, la solidarité des pays riches ! C'est complètement différent de cette histoire de faire payer les e-mails aux entreprises. Qu'est-ce que c'est que cette invention ? Ça tient du racket !

PROPOSITION 3 : Tout va bien ! Alors maintenant, ce sont les policiers qui vont surveiller les cours d'école ! Super, c'est comme ça que les jeunes apprendront la responsabilité ! Mais oui, nous vivons dans une époque de liberté !

C'est exactement ce qu'a appris la lycéenne qui s'est fait renvoyer de son école pour cette histoire de photo. On croit rêver, faire un cauchemar plutôt… Enfin, en quoi ça concerne l'école qu'elle ait posé pour des photos ?

On est surveillés partout ! Notre espace de liberté est de plus en plus limité !

50 PROPOSITION

La postière : Bonjour, comment allez-vous ? En prioritaire ? Comme d'habitude ?

Vous : *Oui, s'il vous plaît.*

La postière : Vous avez vu que nous changeons d'horaires à partir du 27 ?

Vous : *Non… Oh ! Ce n'est pas possible ! Qu'est-ce que je vais faire ? Avec mes horaires (mes heures) de travail, ça ne marche pas ! Quand est-ce que je pourrai venir ?*

La postière : On trouvera bien une solution, ne vous en faites pas !

Vous : *En semaine, aucun horaire ne concorde. C'est fermé quand je sors !*

La postière : Vous ne pouvez pas venir avant deux heures ?

Vous : *Impossible ! Je commence à 13 h 30 aussi !*

La postière : Et le samedi ?

Vous : *Le samedi, oui. Mais si je reçois un paquet ou une lettre ?*

La postière : Eh bien, je vous le garderai, vous le prendrez le samedi !

Vous : *C'est gentil… Et pour envoyer un courrier urgent ? Ou venir en chercher un ? Je fais quoi ?*

La postière : Vos horaires sont très stricts ?

Vous : *Ça dépend des jours. Je peux peut-être m'arranger (effectivement)…*

La postière : Il y a sans doute un moyen ? Vous finissez à quelle heure l'après-midi ?

Vous : *C'est une idée !… Je pourrai commencer un peu plus tard et finir aussi un peu plus tard…*

La postière : Eh bien voilà ! C'est parfait ! Au revoir !

51 PROPOSITION (Vous êtes pour)

— Merci d'être venus aussi nombreux à cette première réunion — ce ne sera certainement pas la dernière — concernant le projet de construction de la rocade nord… Nous sommes réunis pour en discuter entre nous et répondre du mieux possible à vos questions. Je vous donne donc la parole.

— Quand est-ce que les travaux commenceraient ? Et qui va les financer ? Si ça se fait, on devra payer plus d'impôts locaux ?

— Non, c'est la région qui prend tout en charge. Pour les travaux, la date n'est pas fixée. Il faut avant tout se mettre d'accord sur le projet. C'est le moment de dire ce que vous en pensez !

— Pour moi ce serait une bonne chose. Avec ce contournement, on gagnerait en sécurité et en calme. Il y a trop d'accidents ! Les voitures vont trop vite !

— Mais les commerçants protestent. Ils ont peur de perdre des clients.

— Je ne crois pas, au contraire. Ce sera plus facile de stationner. On pourra faire ses courses plus tranquillement…

— Les hôteliers aussi pensent qu'ils n'auront plus leur clientèle de passage, que les gens continueront et s'arrêteront plus loin.

— Non, non. La ville la plus proche, avec de bons hôtels, se trouve trop loin. Et puis on pourrait organiser plus de fêtes, attirer des congrès, des manifestations sportives… les gens viendraient certainement, surtout si nous pratiquons des prix intéressants. Et je suis sûre qu'ils apprécieraient le calme !

— Il n'y a plus de questions ? J'ai bien tout noté. Je serai votre porte-parole auprès des responsables du projet et je vous tiendrai au courant de son évolution. Attendons…

52 PROPOSITION POUR LE MESSAGE 1 :

C'est sûr, dit comme ça, c'est trop mais tu en connais beaucoup qui n'aiment pas fêter Noël, Pâques ou le 1er janvier ? Oui, je suis d'accord que parfois, on a l'impression qu'une fois morts les gens sont plus intéressants que vivants parce que c'est aussi une affaire de sous : ça fait vendre des disques, des journaux et le risque, comme toujours, c'est de tomber dans l'excès. Mais Mozart, Curie, Cézanne et puis quoi encore… le premier bébé-éprouvette, c'est une partie de notre passé, de notre culture. Je ne trouve pas que ce soit du passéisme forcené ou atrocement ringard. Regarde, moi, il y a 25 ans, j'étais bien jeune et le premier bébé-éprouvette, ça ne me dit pas grand chose, alors je vais peut-être en profiter pour combler quelques lacunes.

PROPOSITION POUR LE MESSAGE 2 :
Ah d'accord, c'est le problème du téléchargement de musique sur Internet. Tout le monde en parle en ce moment avec le fameux projet de loi du ministre de la culture sur les droits d'auteur. Tu as entendu que dorénavant les internautes ne seraient plus passibles de peines de prison en cas de téléchargement illégal ? Attends, Internet représente aujourd'hui une révolution aussi importante que l'invention de l'imprimerie il y a quelques siècles. La gestion et la diffusion de la culture ne peuvent plus fonctionner sur les mêmes schémas qu'auparavant. Il serait temps que les majors du disque le comprennent !
Moi, je suis contre le téléchargement payant. Écoute, pendant des années, les majors ont réalisé des bénéfices sur notre dos, ils n'ont pas su s'adapter et anticiper. Tant pis pour eux ! Tu crois vraiment qu'une taxe ou la licence globale, comme ils disent, profiterait aux artistes ? J'en doute !

PROPOSITION POUR LE MESSAGE 3 :
Attends, mais il plaisante là. C'est pas sérieux ! Les faits divers, les sujets qui reviennent tous les ans à la même époque, les marronniers, ça existe, c'est vrai mais il n'y a pas que ça ! Des journalistes sérieux qui font bien leur métier ou qui prennent des risques pour nous informer, il y en a tout de même ! Que ceux qu'on voit en première ligne à la télé ne soient pas toujours les meilleurs, peut-être. Rien ne nous oblige à tomber dans la facilité. Il y a suffisamment de journaux, de magazines dans les kiosques. Non, non, je crois que ce monsieur manque d'imagination ou… de curiosité, comme tu veux !

53 PROPOSITION (Vous êtes favorable à plus de sévérité sur les routes)
– J'en ai assez ! Quatre points en deux mois ! Tu te rends compte ? Sans compter les amendes ! Pour un tout petit dépassement !…
– *Je comprends que tu sois en colère, mais avoue que tu l'as bien cherché ! Tu sais bien que tu vas souvent trop vite !*
– Il y en a qui vont bien plus vite !
– *Peut-être, mais les gendarmes ont raison. Tu as vu le nombre d'accidents et de tués encore cette semaine ? Les gens devraient être plus responsables ! Sans compter ceux qui boivent trop et conduisent ensuite. Tu vois, je pense qu'il faudrait interdire complètement l'alcool au volant.*
– Pour ça, tu as raison, même si je n'irais pas jusque là…
– *Moi je suis pour plus de contrôles de sécurité. Il y a trop de personnes qui ne devraient pas conduire : elles entendent mal, elles ne voient pas bien… Tiens, il y a quelque chose qui m'agace encore plus : ceux qui téléphonent en conduisant. L'autre jour, un chauffeur devant moi a freiné en plein carrefour pour répondre au téléphone… Je l'ai évité de justesse !*
– C'est vrai, il y a des imprudents, mais ce n'est pas mon cas !
– *Toi, c'est la vitesse. Je suis sûre que tu feras attention maintenant, au moins pendant quelque temps… Si toutes ces mesures permettent de sauver des vies, ta vie, tu ne crois pas que ça en vaut la peine ?*

54 PROPOSITION (L'heure d'été n'existe pas dans votre pays)
VOUS : *Salut Richard, à lundi, et n'oublie pas de changer d'heure ce week-end !*
RICHARD : Oh, j'y pensais plus ! Chic ! J'adore passer à l'heure d'été !
VOUS : *Ah ? Pourquoi ? Qu'est-ce que ça change pour toi ? C'est la première fois pour moi, tu sais ? Ce que je vois c'est que les journées seront plus longues… On pourra profiter du soleil plus longtemps et aussi des soirées d'été…*
RICHARD : C'est exactement ce que j'aime : j'ai l'impression, après le travail, d'avoir beaucoup plus de temps de loisir… Mais ce n'est pas l'avis de tout le monde ! À la campagne par exemple, les agriculteurs et les fermiers trouvent que ça perturbe : les animaux n'ont pas de montre, eux ! Leur rythme de vie dépend du soleil. Les spécialistes de la santé et les écologistes commencent aussi à critiquer le système : ce ne serait pas bon pour nous non plus.
VOUS : *Alors, pourquoi continuer ? J'ai entendu dire que l'heure d'été avait été instituée pour faire des économies d'énergie. C'est vrai ? Les résultats sont positifs ? Quels sont les plus nombreux ? Les pour ou les contre ? Ça ne doit pas être si mal puisque c'est appliqué dans presque toute l'Europe, non ?*
RICHARD : Le bilan, après un peu plus de 30 ans, puisque ça existe depuis 1972, est plutôt réservé. Il n'y aurait pas de réelles économies d'énergie. Les uns qui, comme moi, aiment ce temps de loisir supplémentaire sont pour, mais ceux qui travaillent la nuit, non. Le problème c'est que maintenant, pour supprimer l'heure d'été, tous les pays de la communauté européenne doivent être d'accord ! Alors, tu comprends…

55 PROPOSITION

– Moi, j'ai choisi la deuxième quinzaine parce que je savais que Marielle et Isabelle avaient des contraintes et puis comme je suis le dernier rentré…

– Excusez-moi, est-ce que je pourrais avoir le planning des congés pour les deux dernières années ? Merci ! Je ne connais pas bien vos habitudes mais apparemment, vous n'organisez pas vraiment de roulement. Gérard, tu dois absolument prendre la première semaine ? Tu ne pourrais pas décaler tes vacances ? Je me permets de te poser la question parce que si j'ai bien compris, ta femme est en vacances du 1er au 25, donc que tu prennes tes congés avant ou après notre fermeture, ça ne change pas grand chose pour toi : vous seriez de toutes façons ensemble trois semaines… mais tu as peut-être prévu quelque chose ?

56 PROPOSITION

Je pense qu'il est possible de faire des économies sur l'électricité. Ce ne serait pas très compliqué. Il suffirait tout simplement de penser à éteindre quand on quitte une pièce ou encore d'utiliser des lampes basse consommation. Les dépenses de chauffage pourraient aussi être réduites assez facilement si on le baissait quand on n'est pas là. Et puis les pièces sont souvent surchauffées. Avec un peu de bonne volonté, je suis sûr(e) qu'on arriverait à réduire nos dépenses.

57 PROPOSITION

– Voilà votre contrat de location saisonnière.
– *Saisonnière ? Qu'est-ce que ça veut dire ?*
– C'est une location de courte durée… et votre adresse.
– *Dans mon pays, n'est-ce pas ?*
– C'est bien ça… barrer « maison »…
– *Ah bon ! « Rayer la mention inutile » c'est barrer le mauvais mot, le mot incorrect ? Sise… adresse… Ah je comprends ! Sise veut dire qui se trouve… située, non ?*
– Bravo !… l'appartement.
– *Oui, mais qu'est-ce que c'est les « arrhes » ? Quelle est la différence avec un « acompte » ?*
– Les arrhes vous protègent davantage… demande un acompte.
– *Alors je préfère verser des arrhes ! Ce n'est pas possible de changer ?*
– Malheureusement non… un acompte.
– *Bon, tant pis ! Et là, le chèque de garantie, qu'est-ce que c'est ? Ce que je vais payer aujourd'hui ?*
– Non. Cela n'a rien à voir avec l'acompte… ce chèque.
– *Ah, mais c'est une caution !*
– Oui, c'est la même chose, c'est une caution. Dernier point, la taxe de séjour.
– *Une taxe ? Pour qui ? Pourquoi ? C'est cher ?*
– C'est un impôt pour la ville… sa situation…
– *Oui, ça va. Merci beaucoup ! Vous m'avez bien aidé !*
– Je vous en prie, c'est normal !… maintenant !

58 PROPOSITION

– Bonjour, enchanté(e)… Comment y avez-vous pensé ?
– *Eh bien, en réalité, c'est le directeur de l'école où j'ai fait mes études qui nous en a donné l'idée à mes amis et à moi. Il nous a encouragé à maintenir le contact entre nous, à ne pas oublier le français… Quand nous avons vu qu'il avait raison, que beaucoup de nos cadres avaient fait leurs études en France, nous avons décidé de faire quelque chose.*
– Et quelles seraient vos activités ?
– *Notre premier objectif est de ne pas interrompre nos relations, de pouvoir, si nécessaire, nous entraider mais aussi d'épauler, de conseiller les futurs étudiants qui partiront en France. Nous voudrions aussi pouvoir organiser des cours de français ou des conférences à leur intention ou à celle de ceux qui le veulent. Ceci étant la facette « sérieuse » de notre club, nous n'avons pas oublié le plaisir. Nous voudrions organiser des fêtes, des repas, des bals… continuer de célébrer ici le 14 juillet ou… le beaujolais nouveau !*
– Comment serait organisé ce club ? Comment fonctionnerait-il ?
– *Comme tous les clubs. Nous nommerons un président ou une présidente et un ou une secrétaire… et, pour en faire partie, il faudrait payer une cotisation. Nous fixerons ensemble la fréquence de nos réunions.*
– Bien. Cela me semble très intéressant… naturel !
– *Effectivement. Nous aimerions savoir si vous nous permettez d'avoir notre siège dans les locaux de l'Ambassade ou de l'école française, par exemple. Nous pourrions peut-être vous aider dans certains cas ? Nous pensons aussi créer plus tard un petit journal…*
– Écoutez, je vais voir… au point.

59 PROPOSITION

KARINE : L'autre jour, tu m'as donné un truc formidable pour peler les oignons. Tu m'as dit de *les placer une heure au congélateur avant de les peler. C'était super !*

VOUS : Oui, ça marche bien mais on peut aussi *les peler dans l'eau* ou *passer le couteau sous l'eau froide plusieurs fois avant de les peler.*

MARTIN : Moi, avec les examens, je n'arrive pas à dormir ! Qu'est-ce que je peux faire ?

VOUS : On m'a dit que *si on buvait un verre de lait chaud* ça marchait très bien, mais je n'ai pas essayé ! Ou alors *tu peux manger un demi-quartier de pomme* ou tu *fais bouillir une laitue dans un demi-litre d'eau et tu bois le liquide* mais ça me semble bien compliqué... et je ne sais pas si c'est bien bon...

MARIANNE : Qu'est-ce que tu connais encore ? Tiens, tu sais comment on peut arrêter le hoquet ?

VOUS : Oh, il y a le truc classique, retenir un moment sa respiration. Ma grand-mère *mettait quelques gouttes de vinaigre sur un sucre et elle l'avalait.* Mais il paraît que *si on place une cuiller à l'envers dans un verre d'eau et qu'on boit l'eau avec la cuiller contre le front, c'est immédiat !* Je crois que ça doit être drôle de faire ça ! La douche doit être assurée !

KARINE : Je vois que tu oublies toi-même tes astuces ! Regarde tes fleurs...

VOUS : Tu as raison. C'est souvent le cordonnier le plus mal chaussé ! J'étais pressée et *je n'ai pas mis de cachet d'aspirine dans l'eau.*

MARTIN : Écoute, téléphone à l'émission ! Ils t'embaucheront peut-être comme conseiller ?

60 Voir le corrigé de l'activité 46.

61 Voir le corrigé de l'activité 30.

62 PROPOSITION

AMI(E) : Bon anniversaire ! Tiens, j'ai trouvé ça pour toi. J'espère que tu ne l'as pas déjà !

VOUS : Oh, *un pull !* Quelle bonne idée ! Voyons ?.... Quel dommage ! *Il est trop petit !*

AMI(E) : Ce n'est pas grave !... si tu veux.

Vous vous rendez dans le magasin où votre ami(e) l'a acheté. Vous pouvez dire :

• **pour demander à échanger l'article :** *Un(e) ami(e) m'a offert ce pull qu'il (elle) a acheté (pris) chez vous. Je l'ai essayé, mais, malheureusement, il est trop petit pour moi. Est-ce que c'est possible de l'avoir une taille plus grande ? Voici le bon d'achat que vous avez remis à mon ami(e).*

• **pour répondre à la vendeuse qui a ce que vous souhaitez, mais dans une autre couleur :** *Vraiment ? Vous ne l'avez plus en bleu (noir, rouge...) ? Quel dommage ! J'ai déjà un pull de cette couleur, j'aurais aimé changer. Mais peut-être pouvez-vous le commander ? Vous comprenez, je préférerais prendre le même modèle...*

• **pour essayer de trouver une autre solution, car le modèle est épuisé :** *Vous avez un modèle semblable ? Au même prix ou à peu près au même prix ? Je ne voudrais pas qu'il coûte plus cher... Ou bien alors, vous pouvez peut-être me donner un bon d'achat, un avoir ? Je prendrai quelque chose dans la nouvelle collection ? Ce serait parfait !*

63 PROPOSITION

À votre arrivée à l'hôtel, en fin de matinée, le réceptionnaire vous annonce que vous avez une chambre sur l'arrière de l'hôtel, qui plus est avec douche et non pas salle de bain comme vous le souhaitiez. Votre réservation a été mal enregistrée. Vous pouvez dire :

- **pour manifester votre étonnement et votre mécontentement :** *Mais je ne comprends pas ! Vous faites erreur sans doute... vous devez vous tromper de client.*

- **au réceptionnaire qui maintient ce qu'il dit après vérification du nom :** *J'ai réservé depuis plus de trois semaines et votre confirmation de réservation spécifie bien une chambre avec bain, terrasse et vue sur mer. Ce n'est pas la première fois que je descends chez vous et je n'ai jamais eu ce genre de problème ! C'est bien parce que je connais votre hôtel que j'avais réservé depuis longtemps. Je sais que vous avez beaucoup de demandes et que tout le monde veut une chambre qui donne sur la plage ! Qu'est-ce que vous proposez comme solution ?*

- **pour rejeter la proposition de garder la chambre qui vous a été donnée, mais avec un dédommagement :** *Non, je regrette, il n'en est pas question. Il n'y a pas de chambre qui va se libérer tout à l'heure ? Personne ne quitte l'hôtel ? Je veux bien une chambre avec douche, mais surtout avec terrasse et vue sur la plage ! Vous vous y êtes engagé dans votre lettre !*

- **pour remercier le réceptionnaire d'avoir trouvé une chambre qui va se libérer en début d'après midi :** *Ah c'est parfait, merci ! Je savais bien que vous trouveriez une solution. Nous allons faire une promenade et déjeuner et nous viendrons nous installer ensuite. À tout à l'heure !*

64 Il n'y a plus de voiture disponible pour l'instant → On me propose d'attendre une heure environ. → Je suis en colère parce que je suis pressé(e).
Mais enfin, c'est un peu cavalier, j'ai fait ma réservation il y a un mois, j'ai téléphoné il y a trois jours et vous m'avez assuré(e) qu'il n'y aurait aucun souci. Résultat : vous me faites perdre mon temps et je vais être obligé d'annuler ma réservation d'hôtel si ça continue…
Pour me dépanner, on me propose de prendre un taxi.
C'est bien beau un taxi mais c'est cher et ça ne résout pas mon problème pour après. Vous avez une meilleure idée ?

65 PROPOSITION
POLICIER : Bonjour, vous désirez ?
VOUS : Je voudrais *déposer une plainte pour le vol de mon portefeuille.*
POLICIER : Vous pensez que c'est un vol ? Vous êtes sûr de ne pas l'avoir perdu ?
VOUS : *J'en suis presque sûr(e) ! J'ai cherché partout, dans mes poches, ma serviette, là où j'étais, mais rien, je n'ai rien trouvé !*
POLICIER : Bien. Venez avec moi… Vous êtes… ?
VOUS : *Je suis monsieur…/madame… Je suis de passage ici. Je fais du tourisme dans la région. Je suis descendu(e) à l'hôtel…*
POLICIER : Vous pouvez me dire ce qui s'est passé ?
VOUS : *Je me promenais dans la rue, seul(e)… et je venais d'acheter ce journal au kiosque quand j'ai eu envie de manger une glace. Au moment de payer, je me suis rendu(e) compte que je n'avais plus mon portefeuille ! Le marchand m'a conseillé de bien regarder dans mes poches et de retourner au kiosque à journaux. C'est ce que j'ai fait, sans succès. Là, des clients m'ont dit de venir déposer plainte ici.*
POLICIER : Et il était comment, votre portefeuille ? Vous pouvez me le décrire ?
VOUS : *C'est un portefeuille de cuir noir, imitation crocodile. C'est un ami qui me l'a offert. Il avait fait graver mes initiales. À l'intérieur, il y a ma carte de cinéclub, des photos, des cartes de visite et de l'argent : un billet de cinquante euros et un autre de dix, si je ne me trompe…*
POLICIER : Mais attendez… devant le kiosque à journaux.
VOUS : *Il y a encore des gens honnêtes ! Il a dû le trouver tout de suite… C'est pourquoi moi je n'ai rien vu ! Merci bien monsieur !*

66 **a) Il va vous demander :** de vous présenter **(2)**, de quoi vous souffrez **(6)**, depuis combien de temps vous souffrez **(11)**, de vous déshabiller **(4)**, vous ausculter **(1)**, prendre votre tension artérielle **(9)**, d'ouvrir la bouche **(7)**. Il va aussi vous peser **(3)**, puis vous dire de vous rhabiller **(8)**, vous prescrire une ordonnance **(5)** et enfin vous expliquer ce qu'il faut faire **(10)**.

b) Aux questions du médecin vous pouvez répondre :
• Je suis madame…/monsieur… Je fais mes études ici/Je suis de passage/Je participe à un congrès/Voici ma carte d'assuré(e) social(e) dans mon pays/J'ai une assurance internationale/Je serai remboursé(e) dans mon pays, etc.
• Je pense que j'ai pris froid. J'ai mal à la gorge depuis hier/J'ai des difficultés à avaler/J'ai/je n'ai pas souvent mal à la gorge/J'ai oublié mes médicaments habituels/je n'ai pas de médicaments ici/Je suis allergique à…/je n'ai aucune allergie.

c) Pour bien vous faire comprendre et comprendre, vous pouvez dire :
Excusez-moi, vous dites que… c'est bien ça ? Vous pouvez répéter, s'il vous plaît ? Des pastilles, c'est comme un bonbon, n'est-ce pas ? À chaque repas, c'est le matin, à midi et le soir, non ? Qu'est-ce que c'est une pulvérisation ? Vous me comprenez ? Je prononce mal peut-être ? Je vous explique encore… C'est là que j'ai mal (geste).

67 **Pour répondre aux questions sur vos études, votre motivation et vos projets professionnels, vous pouvez dire :**
J'ai fait mes études de… à… (et à…) pendant…. J'ai obtenu mon diplôme de… en… le…/Je voudrais faire un stage pratique dans votre entreprise parce qu'elle correspond exactement à ce que je recherche. La réputation de vos produits est grande et, comme je m'intéresse spécialement aux contrôles de qualité, je pense que je pourrais apprendre beaucoup chez vous.
Pour demander des précisions sur votre stage, vous pouvez dire :
Je vous remercie de m'accepter en stage et je voudrais avoir quelques précisions sur son déroulement. Quelle sera sa durée ? Quels seront les horaires ? Je travaillerai dans quel service ? J'aurai à mener seul une tâche ou un projet ou à travailler avec quelqu'un ? Est-ce que j'aurai des responsabilités ? Lesquelles ? Est-ce que je peux me permettre de vous demander s'il est prévu des indemnités, une aide pour le logement ou le transport ?

Je me présente : je suis…. Je joue dans ce club comme… depuis… Mais j'écris parfois des articles pour la page des sports du journal de notre ville. C'est à ce titre que je voudrais vous poser quelques questions. Je voudrais tout d'abord vous souhaiter la bienvenue dans notre club et dans notre ville et vous remercier d'avoir accepté cette interview. C'est très gentil à vous. Rassurez-vous ce ne sera ni long ni bien difficile…. Nous suivons tous votre carrière sportive et nous sommes heureux pour vous de vos derniers succès. Quel est celui dont vous êtes le plus fier ? Quels sont projets ? Vous avez une ambition particulière ? Pouvez-vous nous dire comment vous en êtes venu à ce sport ? Quelqu'un vous a poussé à le pratiquer ou bien c'est un choix personnel ? À quel âge avez-vous commencé ? Qu'en pensait votre famille ? Pratiquez-vous un autre sport ? Lequel ?

Si vous le permettez, je voudrais vous poser quelques questions sur votre séjour ici. C'est la première fois que vous visitez ce pays ? Quelles sont les régions ou les villes que vous avez vues ou que vous comptez visiter ? Qu'est-ce que vous appréciez particulièrement ici ? Y a-t-il quelque chose qui vous intéresse surtout ou que vous aimeriez découvrir ? Que pensez-vous de nos spécialités ?

Encore une fois, merci d'avoir accepté de me répondre. Vous voulez bien être pris en photo avec mes camarades du club ? Il va sans dire que je vous enverrai une copie de l'article consacré à cet entretien. Bonnes vacances, bonne poursuite de votre séjour, et, nous l'espérons tous, à bientôt peut-être ?

69 PROPOSITION (en réaction aux réponses « supposées » de la famille d'accueil)

– Allô ! Ici Karen, je vous appelle suite au message que vous m'avez laissé.`

– Dans quelle région habitez-vous ?

– Je ne connais pas bien la France, c'est où exactement ? Y a-t-il une grande ville à proximité ?

– Il y a des bus ?

– Vous êtes loin des Alpes ?

– Pouvez-vous me parler de votre famille ? Vous avez combien d'enfants ?

– Ce serait pour garder la petite fille, c'est ça ?

– Qu'est-ce que je devrai faire exactement ?

– Pourriez-vous me dire combien je gagnerai par mois ?

– J'ai lu que les jeunes étrangers au pair étaient déclarés et immatriculés à la Sécurité sociale et que les cotisations étaient exclusivement à la charge de la famille d'accueil. C'est vrai ?

– Est-ce que j'aurai un jour de repos fixe dans la semaine ?

– Non, le dimanche, c'est bien je crois. Je pourrais recevoir des amis par exemple ce jour-là ?

– Ah, je voudrais aussi améliorer mon français. Est-ce qu'il y a quelque chose d'organisé pour les jeunes comme moi ?

– Quand est-ce que je pourrais commencer ?

– Oui, je peux être disponible mais je dois rentrer au Danemark pour le mariage de ma sœur au début juillet, du 1er au 15.

– Ça m'intéresse mais je dois réfléchir un peu. Je voudrais vous signaler que je ne mange pas de viande. Est-ce que vous pensez que ça peut poser un problème pour l'organisation des repas ?

– Ah oui, c'est une bonne idée. Et aussi… hum… j'adore nager, j'ai l'habitude de m'entraîner deux fois par semaine à la piscine.

I. COMPRÉHENSION ÉCRITE

70 a) un titre, un chapeau, un intertitre, un dessin humoristique, des paragraphes, des citations, des noms propres, des chiffres, sa source, le nom de son auteur, différents types de caractères.

b) Le monde éducatif s'unit pour combattre les absences des élèves **(4)**.

c) - Le phénomène de l'absentéisme concerne 7 % des élèves du second degré, collégiens et lycéens. Il se manifeste en Seine-Saint-Denis mais aussi dans toute la France.
- La mobilisation est générale en France. Elle s'exprime par des affiches et une convention de lutte, qui, présidée par le Préfet, réunira une fois par mois les représentants de tous les services de l'État, des collectivités locales et d'associations familiales.
- « Sécher régulièrement » veut dire être absent de façon régulière.

d) Les auteurs et leurs fonctions : Dominique Raynaud, chef de bureau à la direction de l'enseignement secondaire ; Jean-Charles Ringard, inspecteur d'académie de Seine-Saint-Denis.

e) • 1er **paragraphe : 3.** Un guide est proposé pour lutter contre l'absentéisme.
• 2e **paragraphe : 4.** Ce phénomène, aux causes multiples et de grande ampleur, se manifeste dans toute la France.
• 3e **paragraphe : 1.** Pour stopper le développement de l'absentéisme, des actions multiples sont engagées.
• 4e **paragraphe : 5.** Les modalités de lutte prévoient, selon les cas, d'utiliser la manière douce ou la manière forte.
• **dernier paragraphe : 2.** Les premières actions entreprises ont déjà donné de bons résultats.

f) 1. 10 000 exemplaires du « Guide mode d'emploi pour l'assiduité scolaire » / **7 %** des élèves du second degré de Seine-Saint-Denis sont concernés par l'absentéisme : **30 %** des élèves de certaines filières professionnelles manquent la classe. / **5 %** des lycéens et collégiens du secteur public « sèchent régulièrement les cours ». / **275 000 élèves** : nombre d'élèves que représentent les **5 %** précédents. / **7 avril** : date de la signature de la convention de lutte contre l'absentéisme. / **750 €** : montant maximum des amendes sanctionnant les familles « les plus récalcitrantes ». / **7 % à 4 %** : diminution espérée du pourcentage des « jeunes déserteurs ».
2. On estime qu'en France **5 %** des élèves sèchent régulièrement les cours. En Seine Saint-Denis, dans le second degré, **7 %** des élèves ne viennent pas assidûment en classe, et dans le secteur public, **275 000** d'entre eux… s'absenter. Ce taux peut atteindre les **30 %** dans certaines sections professionnelles. Pour combattre ce phénomène… distribué à **10 000** exemplaires en Seine-Saint-Denis. Ils ont également décidé de signer, le 7 avril une convention de lutte contre l'absentéisme. Celle-ci prévoit… amendes pouvant atteindre **750 €**. Les enseignants espèrent ainsi faire baisser… les classes de **7 % à 4 %**.

71 a) Réponse 1 : « Lance… une initiative inédite… la mobilisation est décrétée ».
Réponse 2 : « 275 000 élèves sèchent régulièrement. »

b) absentéisme = le fait d'être trop souvent absent. / **assiduité** = présence régulière (à des cours).

c) 1. assiduité, sèchent, sécheurs, des classes exsangues, sécher, école buissonnière, déserte, (les enfants) ont repris le chemin de l'école, des jeunes déserteurs.
2. Les élèves (collégiens et lycéens), les parents, les professeurs, les chefs d'établissements, la direction de l'enseignement secondaire, l'inspection d'académie, les représentants de tous les services de l'état.
3. Des affiches, des sanctions pénales, des amendes, des aides aux parents, l'information des parents (de l'absence de leurs enfants par téléphone, SMS, courriers), des stages.

d) combattre (l'absentéisme), porter la bonne parole, endiguer le fléau, décréter, une convention de lutte, prendre le problème à bras-le-corps, modalités de lutte, dispositif.

e) « Manier la carotte et le bâton » : alterner sanctions, amendes et aides aux familles.
« Faire l'école buissonnière » : aller se promener pendant les heures de cours.

72 a) La fête de la Toussaint, célébrée le 1er novembre. Ce jour-là, en France, traditionnellement, on fleurit les tombes de chrysanthèmes.

c) Le chrysanthème n'est pas associé à la Toussaint dans tous les pays.

d) En France, contrairement à ce qui se passe dans d'autres pays, le chrysanthème est la fleur de la Toussaint par excellence.

e) Oui, dans la 2ᵉ colonne. Il désigne d'autres pays européens (l'Italie, l'Angleterre, les Pays-Bas) où le chrysanthème n'a pas la même connotation.

f) Les parties notées en gras correspondent à des citations qui soulignent les étapes importantes de l'histoire du chrysanthème.

g) Faux : on ne parle pas de la répartition des achats dans le texte. / **Faux :** on a **23,6** millions de pots vendus en 2004 dans le schéma et **23,8** dans le texte.

73 a) PROPOSITION Le *dendranthema*, plus connu sous le nom de chrysanthème — qui signifie fleur d'or en grec — est une fleur extraordinaire, gaie, aux couleurs subtiles et délicates, originaire de Corée où elle était cultivée 900 ans avant Jésus-Christ. La légende veut que le chrysanthème prolonge la vie, c'est pourquoi au Japon, il symbolise la prospérité. Il est arrivé en France en 1789, a traversé le siècle des Lumières. On l'a beaucoup copié, des centaines de variétés ont vu le jour au fil du temps, d'autres sont aujourd'hui encore à l'étude.
Il doit son essor à la Première Guerre mondiale. En effet, lorsque la guerre s'achève en novembre 1918, on l'utilise pour fleurir les tombes des soldats car il résiste au froid de l'hiver. C'est ainsi qu'en France cette plante sera définitivement associée au culte des morts et à la fête de la Toussaint. Depuis quelques années, certains ont entrepris de le réhabiliter. Peut-être en verra-t-on bientôt orner des bouquets de mariées, comme aux Pays-Bas.

b) 1. Le chrysanthème est, pour les Français, la fleur des morts.
2. Dans la 2ᵉ colonne, après la partie en gras : « ce lien chrysanthème-pierre tombale ».
3. « la fleur d'or des morts, la fleur de Toussaint par excellence, son nom ne fait pas rêver, le symbole des cimetières, une plante des jours d'automne, une plante mal aimée. »

c) Il faut « lutter pour sa réhabilitation » parce que c'est une fleur « extraordinaire, gaie, aux couleurs subtiles et délicates, loin des clichés vieillots qui lui collent au pot ». À noter ici un jeu de mot : coller au **pot** et non à la **peau** en référence au pot de fleur.

d) « alors » = à ce moment-là.

74 a) 1 = D. Le 1ᵉʳ mot est écrit en lettres d'imprimerie.
2 = B. Le 1ᵉʳ § s'achève sur une idée de nombre : «… les Français sont de plus en plus nombreux à… ». Le 2ᵉ précise ce nombre : « Ils sont ainsi 5 millions… »
3 = A. Le § commence avec « Enfin » et aborde le dernier aspect de la situation, à savoir le chant choral.
4 = C. On fait référence à l'avenir et au besoin de formation des jeunes qui prendront la relève.

b) La pratique musicale en France.

c) Pour favoriser la pratique amateur.

d) 1. Vrai ; 2. Faux ; 3. Vrai ; 4. Faux ; 5. Faux ; 6. Vrai ; 7. On ne sait pas.

e) Le développement des programmes de télé-réalités comme *Star Academy* sur TF1 ou *Graines de star* sur M6. Ces émissions ont pour but de donner leur chance à de jeunes talents.

f) - Le chant choral continue de séduire de plus en plus d'adeptes, auprès des adultes comme des jeunes retraités. *En effet*, 27 % d'amateurs chantent dans une chorale, ou un ensemble vocal (soit 4 millions de pratiquants au sein de 8 000 chorales).
- « Un engouement largement antérieur au succès des *Choristes* », comme le rappelle Guillaume Deslandres, directeur de l'Institut français d'art choral. *En revanche*, l'irruption des programmes de télé réalité musicales semble avoir un effet direct sur la multiplication des vocations de chanteurs en herbe.

g) *Ainsi* = Par exemple.

75 a) Ce texte parle d'un lieu : le Musée de La Poste et de l'histoire d'une institution : la Poste.
Il est question du lieu lui-même dans l'encadré, dans le 1ᵉʳ et le dernier paragraphes. D'autre part, dans l'article, on évoque rapidement plusieurs salles, plus longuement dans l'avant-dernier paragraphe, la dernière (celle où sont exposés les timbres). Il est question de l'histoire de « l'aventure postale » dans tous les autres paragraphes de l'article (2, 3, 4, 5, 6, 7).

b) L'évolution de la Poste.
• **En 1477 :** Louis XI comprend l'intérêt politique de contrôler le courrier, la Poste devient une institution.

- **Dès 1632 :** L'essentiel du territoire est couvert par des messageries à cheval et des relais.
- **En 1760 :** On a l'idée de faire porter les lettres par un facteur.
- **En 1793 :** Les frères Chappe montent un système qui est l'ancêtre du télégraphe.
- **Au XIXe siècle :** La malle-poste modernise la transmission des courriers.
- **En 1849 :** Le timbre apparaît. C'est celui qui envoie le courrier qui paie.
- **En 1870 :** C'est le siège de Paris ; le courrier est envoyé par ballon ou grâce aux pigeons. voyageurs.
- **Dans les années 1847-1849 :** C'est le début du chemin de fer et les premiers wagons postaux.
- **Vers 1866 :** Le pneumatique apparaît. Il fonctionne jusqu'en 1984.
- **Au début du XXe siècle :** C'est le commencement de l'aviation postale.
La première date mentionnée dans le texte correspond à la fondation du Musée.

c) 1. Les messageries à cheval, la malle-poste, le ballon, les pigeons-voyageurs, le pneumatique, le bateau, l'avion. - **2.** Le télégraphe.

d) Date de création du musée : 1947
Situation : 34, bd de Vaugirard, Paris 15e
Tarif d'entrée : 5 €, gratuit pour les moins de 18 ans.
À voir en particulier : la salle consacrée aux pionniers de l'aviation (objets des uns et des autres), la salle où sont exposés tous les timbres français depuis que le timbre a été créé.
Jugement global : « un musée vivant, une belle idée de visite pour tous ».

76 a) 1. Les mers, les espèces (animales, végétales), les forêts, les glaciers.
2. A. Le niveau des mers est monté de 10 à 20 cm au cours du XXe siècle ; il pourrait monter de 50 cm. La Camargue est menacée.
B. 19 % des vertébrés et 8 % des végétaux pourraient disparaître.
C. Augmentation des espèces méditerranéennes, diminution des surfaces de pins sylvestres, disparition des boisements artificiels, allongement de la période de croissance des arbres, de plus en plus de feux de forêts et d'insectes ravageurs.
D. Dans les Alpes, au cours des cent prochaines années.

b) 1. Phénomènes déjà en cours, en train de se produire : 2, 6, 9, 10 / **Phénomènes seulement possibles (mais non certains) dans le futur :** 1, 3, 4, 5, 7, 8.
2. 1. Les experts pensent qu'une montée du niveau des mers de 50 cm est possible.
2. La girelle paon est présente sur les bords de la Côte d'Azur alors que ce poisson était inconnu sur les côtes françaises il y a dix ans. Dans l'Atlantique, deux espèces de poissons ont progressé au cours des 30 dernières années d'une quinzaine de degrés de latitude.
4. (le Gulf Stream pourrait être déplacé.) Ce qui, paradoxalement, entraînerait un refroidissement, de l'Europe de l'Ouest.
5. 19 % des vertébrés et 8 % des végétaux pourraient disparaître en métropole.
6. D'autres espèces vont s'adapter en se déplaçant. On observe déjà des floraisons plus précoces chez certaines plantes et on constate l'avancée des dates de migrations chez les oiseaux.
7. Le visage de la forêt française pourrait complètement changer.
8. Les espèces méditerranéennes (olivier, chêne vert, pin) représentent aujourd'hui 9 % de la forêt française. Si la température moyenne augmentait de 2°, cette surface passerait à 28 %.
9. Les spécialistes prévoient un allongement de la période de croissance des arbres (elle a augmenté d'une dizaine de jours depuis 1960). Les chênes ont gagné 8 à 10 mètres dans les région Centre…
10. On constate déjà la réduction de la couverture neigeuse et le recul des glaciers. Entre 1850 et 1980, ces derniers ont perdu un tiers de leur surface. Et depuis, ça ne s'arrange pas : depuis 1980, près de 30 % de la glace restante a disparu.
3. L'emploi du verbe « pouvoir », de l'adjectif « possible »/Le choix du conditionnel./L'emploi d'hypothèses (si…).

77 a) 3e § : « Chacun se souvient de quand il a… aux enfants pour qu'ils jouent avec… on y met ses contacts, les SMS intimes qu'on n'arrive pas à effacer, la photo de son enfant pour illustrer l'écran… »
b) 1. Un discours ambivalent est un discours à double sens.
2. «… ils <u>disent se méfier</u> et qu'ils <u>critiquent</u> volontiers, mais <u>se révèlent bien plus</u> « <u>proches</u> » qu'ils ne l'avouent de cet objet… ».
c) «… ils déclarent le portable bien utile pour joindre un interlocuteur **mais** que c'est un objet contraignant, asservissant, voire angoissant… Or, ce discours est contredit dans la réalité….. Les gens critiquent volontiers la

*fonction appel, dont ils disent qu'elle détruit le lien social car chacun est dans sa bulle... **Or**, sur le terrain ces scènes d'agacement sont inexistantes... une relation bien plus intime qu'ils ne veulent l'admettre avec cet appareil... »*

d) Le portable permet de développer avec *son entourage des liens* de complicité *qui n'existaient pas forcément auparavant*.

e) - Le portable permet de ne pas se sentir seul(e), de développer aussi *des stratégies pour être joignable seulement quand on le souhaite, de devenir arbitre de sa propre liberté*.
- Le portable peut être un objet aliénant, asservissant parce que *tout le monde n'a pas la possibilité de refuser d'être joignable à certains moments*. C'est le cas de certains professionnels : médecins, urgentistes, dépanneurs, etc.

78 a) 1. leur *téléphone mobile, qu'*ils critiquent volontiers, c'est *un objet contraignant, cet appareil, ses contraintes*, il *l'*a perdu, on *le* lui a volé, on *le* manipule, *qui* est remisé dans un tiroir, personne ne *le* prête, c'est *un outil, son mobile, sa* loi.
2. Autres mots : téléphone mobile, objet, appareil, outil, mobile. **Adjectifs possessifs :** ses (contraintes), sa (loi) **Pronoms compléments :** il *l'*a perdu, on *le* lui a volé, on *le* manipule, personne ne *le* prête. **Pronoms relatifs :** *qu'*ils critiquent volontiers, *qui* est remisé dans un tiroir.

b) Mme Menrath/la chercheuse.

c) et d) « Autant de gestes qui... : toutes les attentions dont la personne qui téléphone fait preuve vis-à-vis de son entourage comme pour s'excuser de le déranger (parler à voix basse, les clins d'œil, les sourires).

e) il = celui qui appelle ; **le** = qu'il parle bas ; **son interlocuteur** = la personne à qui il téléphone ; **son voisin** = celui qui est à près de celui qui téléphone ; **l'** = qu'il dit qu'il parle bas.

f) mais et **or**.

g) permet d'attirer l'attention sur un exemple ou un fait précis : notamment/marque une gradation : **voire**/permet d'insister, de souligner : **surtout**.

79 a) On parle des conditions de voyage, de logement, des lieux qu'on a visités, des gens qu'on a rencontrés, des impressions qu'on a du pays ou de la ville, du temps qu'il fait, de ses projets pour la suite, de son retour...

b)

	Saint-Exupéry	Rimbaud	David-Neel
Où se trouve-t-il/elle exactement ?	Sur un bateau qui fait escale à Dakar pour aller en Amérique du Sud.	Au sommet de la plus haute montagne de Chypre.	Dans une maison japonaise, à Kyoto.
Quel temps fait-il ?	Il commence à faire chaud. (...ce vent chaud et épais de Dakar.)	Il fait un froid désagréable : il pleut, grêle, vente à vous renverser.	L'été est venu et les quelques jours qui nous séparent de la saison des pluies sont agréables.
Comment se sent-il/elle moralement ou physiquement ?	Je ne me sens encore ni triste, ni loin, ni même absent.	Je me porte mal ; j'ai des battements de cœur qui m'ennuient fort.	Mon cœur se serre, je ne me guérirai pas de ma nostalgie.
- Est-il/elle déjà venu(e) là ? - Evoque-t-il/elle des voyages précédents ? Si oui, dans quels pays ?	- Oui, il est venu souvent à Dakar (je connais rocher par rocher, arbre par arbre, dune par dune, l'avenue qui va de Toulouse au Sénégal.) - Non.	- Non. - Il est allé en Égypte. Je n'ai rien trouvé à faire en Égypte et je suis parti pour Chypre il y a presque un mois.	- On ne le sait pas. - Elle évoque des voyages au Sikkim et au Tibet.
Quelles sont ses occupations actuelles ?	Sur le bateau, il joue à des jeux de société.	Il est surveillant d'un chantier de construction.	Aucune information sur ce sujet.
Que va-t-il/elle faire ensuite ?	Aller en Amérique du Sud.	Rester employé jusqu'à la fin de ce travail, trouver d'autres travaux pour mettre de l'argent de côté.	Peut-être partir pour la Mongolie.

c) L'auteur de la lettre	1	2	3
. a des problèmes d'argent.		✗	
. évoque un voyage qui l'a marqué pour toujours.			✗
. décrit avec amusement ses propres activités.	✗		
. minimise l'éloignement.	✗		
. se plaint des conditions de vie.		✗	
. craint de ne pas se réadapter à une autre vie.			✗

d) lettre 1 : Les relations avec sa famille sont très affectueuses ; il répète plusieurs fois « ma petite maman » ; il écrit : « Je vous embrasse tous bien tendrement, je vous emmène un peu tous avec moi… Je vous embrasse comme je vous aime. ». Ses proches ne lui manquent pas encore vraiment, il le note lui-même (avec un peu d'étonnement, on dirait).
Lettre 2 : Les relations avec sa famille ne semblent pas très chaleureuses ; il n'y a pas de formule d'appel et la formule finale semble un peu formelle. Pourtant il s'inquiète de leur santé, demande des nouvelles, leur promet un envoi.
Lettre 3 : Le ton est d'une familiarité affectueuse : « Mon petit, vois-tu… » mais il n'y a pas d'autre mani-festation d'affection.
e) Lettre nostalgique et poétique : **lettre 3** / lettre humoristique et légère : **lettre 1** / lettre « terre à terre » : **lettre 2**.

80 a) Colette a envoyé de l'argent à sa mère. **V** / Colette envisage l'achat d'une voiture. **V** / Quelqu'un de leur entourage a eu un accident de voiture. **V** / Sido a décidé d'aller voir sa fille. **F** / Elle est heureuse de déménager. **F** / Son fils Achille habite dans la même ville qu'elle. **V** / Colette connaît bien la ville où habite sa mère. **V** / Sido n'aime pas avoir des voisins. **F** / Elle déménage parce que sa maison est trop petite. **F** / Elle pense que tous ses enfants ont le même caractère qu'elle. **F**

b) Sido refuse que sa fille lui envoie encore de l'argent.
Elle désapprouve l'achat d'une auto parce que c'est dangereux et qu'il faut beaucoup d'argent.
Elle se demande quand elle verra sa fille.
Elle hésite à aller voir ses belles-sœurs, neveux et nièces.
Elle annonce qu'elle déménage.
Elle explique la situation exacte de la maison.
Elle décrit l'aménagement, les pièces de la maison.
Elle explique aussi pourquoi elle déménage.
Elle ne veut pas reconnaître que c'est d'elle seule que ses enfants tiennent leur caractère.
Elle se plaint du froid, de la vieillesse, d'être impuissante à tout arranger comme elle voudrait.

c) Marques d'affection : les mots qu'elle utilise pour appeler sa fille « minet chéri, mon toutou chéri, trésor chéri », le désir de la voir, elle prévoit déjà la chambre où sa fille dormira dans la nouvelle maison, l'inquiétude pour elle à cause de la voiture.

d) Reconnaissance : « tu es trop gentille, vois-tu » ; **Regret :** « je déménage hélas ! je quitte ma Petite-maison que j'ai remplie de verdure et de fleurs » ; **Tristesse :** « aujourd'hui, c'est mon jour de tristesse » ; **Inquiétude :** « Je ne vois pas avec plaisir l'achat d'une auto. C'est terrible » ; **Résignation :** « ce déménagement m'épouvante mais… il faut bien que je me décide. »

e) Quand elle explique la situation de la maison, en particulier, on croit l'entendre parler à sa fille. « Voyons, comment t'expliquer cela.. ? » « … comme pour aller chez les Mayet. Vois-tu ? Oui, c'est presque au coin… »

81 a) Elle a deux enfants qu'elle a quittés pour venir quelque temps à Paris. Elle a une sœur. Elle n'habite pas à Paris habituellement. Elle aime se distraire, s'occuper des arts, aller au musée, au spectacle, prendre des leçons de dessin. Elle compte rester à Paris jusqu'en avril et y venir plus souvent.

b) « J'ai bien envie de voir rapidement ma fille. Que vient-elle faire à Paris ? »
Elle se trouve chez son autre fille, la sœur de George Sand.

c) Jalousie. Non : « Ne croyez point que j'éprouve aucun sentiment de jalousie envers ma sœur. » - **Désir de voir sa mère le plus vite possible. Non :** « Je compte rester ici deux mois au moins ainsi je ne puis man-quer de vous embrasser cette année. » - **Satisfaction d'être à Paris. Oui :** « Jusqu'à présent, je n'ai pas eu le temps [de m'y ennuyer] et si je continue à m'y trouver bien, je ne retournerai chez moi qu'au commencement d'avril. » - **Plaisir de rencontrer des gens. Non :** « Je ne vois presque personne. Je n'ai pas le temps et puis *il faut faire des toilettes et un peu de cérémonie et cela m'ennuie. »* - **Inquiétude au sujet de ses enfants. Non :** *« Je reçois souvent des lettres de mon petit Maurice. Il se porte bien ainsi que sa sœur que j'ai laissée bien belle et bien grosse. »*

82 a) J'ai beaucoup… mon enfance : *vous oubliez que j'ai 27 ans et que mon caractère a dû subir bien des changements depuis ma jeunesse.*
• Vous me voyez… suis en réalité : *Vous me supposez un amour du plaisir, un besoin d'amusement et de distraction que je suis loin d'avoir.*
• Ce qui est le plus… liberté : *Ce n'est pas du monde… qu'il me faut, c'est de la liberté…*
• Je ne veux pas discuter… comprendre : *Quand je rencontre des cœurs qui ne me comprennent pas du tout, qui prennent mes innocentes fantaisies pour des vices hypocrites, je ne sais pas me donner la peine de les dissuader.*
• Les hommes sont intolérants… différent d'eux : *Quelle rage avons-nous donc ici-bas de nous tourmenter mutuellement, de nous reprocher aigrement nos défauts, de condamner sans pitié tout ce qui n'est pas taillé sur notre patron ?*
• Vous aussi, on vous a mal jugée : *Vous, ma chère maman, dans votre vie vous avez souffert de l'intolérance, des fausses vertus, des gens à grands principes. Votre beauté, votre jeunesse, votre indépendance, votre caractère heureux et facile, combien ne les a-t-on pas noircis !*
• On m'accuse… pas vrai : *On vous a dit que je portais la culotte, on vous a bien trompée ; si vous passiez 24 heures ici, vous verriez bien que non.*
• Dans notre couple… normal : *Chacun son vêtement, chacun sa liberté. Il est bien juste que cette liberté dont jouit mon mari soit réciproque.*
• Soyez de mon côté… critiquent : *Ceux qui ne le trouveraient pas bon et qui vous feraient des propos sur mon compte, jugez-les avec votre raison et avec votre cœur de mère ; l'un et l'autre doivent être pour moi.*

b) Elle est avant tout très attachée à sa liberté.

c) Elle lui rappelle qu'elle a, elle aussi, été sévèrement jugée par les gens, notamment pour son indépendance. Par la même occasion, elle la flatte : « votre beauté, votre caractère heureux et facile ». Elle lui rappelle aussi qu'en tant que mère, c'est du côté de sa fille qu'elle doit être.

83 a) C'est l'ancien instituteur de Camus.
b) Pour lui exprimer sa reconnaissance, lui dire qu'il ne l'a pas oublié.
c) La reconnaissance et l'affection.
d) Sa mère.
e) Il était un enfant pauvre.
f) Il pense que c'est un trop grand honneur et en même temps il ne veut pas « en faire un monde », lui accorder une trop grande importance.

84 a) S'excuser.
b) La honte, le regret, le remords, la peine : *hélas ! pourquoi faut-il qu'il me soit si douloureux de tant l'aimer ?… ma peine est bien plus forte que celle que j'aurais pu vous causer… je ne me le pardonnerai pas…) /* **L'admiration :** *il ne me suffit pas d'aimer ce livre ; je sens que je m'éprends, pour lui et pour vous, d'une sorte d'affection, d'admiration, de prédilection singulières…*
c) Non : *j'ai cette honte d'en être beaucoup responsable.*
d) Il avait de Proust une fausse image, celle d'un snob, d'un mondain sans intérêt. / **Non :** *c'est bien insuffisamment expliquer mon erreur.*
e) L'idée que ce refus a sans doute peiné Proust

85 a) 1. La durée, le genre du film, le pays d'origine, le réalisateur/la réalisatrice, les acteurs principaux, éventuellement les distinctions obtenues.
2. Cela signifie que le film sort ce jour-là en France, qu'il n'est pas sorti plus tôt dans les grandes villes (comme c'est le cas d'autres fois).
3. Une comédie.
b) Pour Françoise : L'enfant ; **pour Laurence :** Saint-Jacques… La Mecque ; **pour Agnès :** Il était une fois dans l'Oued ; **pour Alex et Annie :** Oliver Twist ; **pour Paule :** Zaïna, cavalière de l'Atlas ; **pour Gilles :** Les noces funèbres ; **pour Bernard :** La légende de Zorro.

c)

Film	Lieu(x)	Époque
La Légende de Zorro	La Californie	1850
Zaina, cavalière de l'Atlas	Les Montagnes de l'Atlas (au Maroc)	*non précisée*
Oliver Twist	Londres	L'époque victorienne (XIXᵉ siècle)
Les Noces funèbres	Le Royaume des morts	*non précisée*
Il était une fois dans l'oued	L'Algérie	à partir de 1988
L'Enfant	*non précisé*	*non précisée*
Saint-Jacques ... La Mecque	Le Chemin de Saint-Jacques	*non précisée*

d) - Zaina, Saint-Jacques… La Mecque, (Les noces funèbres) - Oliver Twist, L'enfant

e) La légende de Zorro : mari – femme ; **Zaina, cavalière de l'Atlas :** père – fille ; **L'enfant :** parents – enfant ; **Saint-Jacques… La Mecque :** frères – sœur.

86 a) 1. 1 : une illustration - **2 :** un « titre » et un « sous-titre » - **3 :** des dates - **4 :** un lieu et une adresse
2. Une publicité pour une exposition.
3. C'est la reproduction d'une gravure ancienne. Les personnages sont des Mérovingiens ; ils vivaient aux VIᵉ et VIIᵉ siècles après J.-C.
4. Elle a lieu du 22 octobre 2004 au 31 août 2005 au Musée archéologique de Strasbourg, au Palais Rohan, 2 place du Château.
5. Il s'agit d'une publicité pour **une exposition** sur les **Mérovingiens** qui a lieu du **22 octobre 2004** au **31 août 2005**, au **Musée** d'**archéologie** de la ville de **Strasbourg**, en **Alsace**.
b) 1. Les mardi. Les visites ont lieu de 10h à 18h. Il n'y a pas de visites commentées en juillet.
2. Des armes, des bijoux, des objets de parure, des céramiques et des verreries./Ils ont été trouvés dans une nécropole, à Erstein, en Alsace. / Une nécropole est un grand ensemble de tombes.
c) Elle représente certainement un enterrement car on y voit une fosse, la tombe, où sont placés des objets funéraires : mobilier, armes (un bouclier), aliments. Un groupe de personnes (cinq femmes et un enfant) apparemment endeuillées et attristées se trouve devant la tombe.

87 a) 1 : g - 2 : e - 3 : h - 4 : f - 5 : i - 6 : a - 7 : j - 8 : c - 9 : d - 10 : b
b) Vrai : 2, 3, 5, 7 / **Faux :** 1, 4, 6, 8
c) Par le présent contrat, M. *Helmut Renner, Grazer Str. 4, Bad Ischl (A-4820)*, dit le locataire, s'engage à louer à M. *Jean Dupré, 14, Bd Clemenceau, Saint-Cyprien (66750)*, dit le propriétaire, une maison un appartement sise *28 avenue de la Plage à Saint-Cyprien (66750)*, durant la période *du 2 au 20 août 2007* au prix de *1 200 €* dont *200 €* payables ce jour au titre d'acompte d'arrhes, le solde payable le *2 août 2007*.

88 a) 1. Un formulaire de pré-inscription à l'université. / Un document de l'Éducation nationale.
2. Aux étrangers résidant en France mais n'appartenant pas à l'Union européenne.
S'ils désirent s'inscrire en 1ʳᵉ ou 2ᵉ année de licence dans une université française.
3. Affirmations exactes : Les étrangers qui ont le bac n'ont pas besoin de ce document./Les candidats doivent choisir seulement trois universités. / Ils peuvent choisir au maximum deux universités dans les académies de Paris, Créteil ou Versailles. / Le candidat doit vérifier que les universités choisies proposent la formation souhaitée./La date limite d'envoi ou de dépôt du dossier est le 31 janvier./Les candidats doivent joindre certains documents. / Presque tous les candidats doivent passer un test de connaissance du français. / Les candidats doivent expliquer pourquoi ils souhaitent s'inscrire à l'université.

b) 1. 60 euros
2. Le candidat reçoit une convocation sur laquelle sont indiqués le lieu et la date de passation du test. Le candidat doit avoir une pièce d'identité avec photographie.
3. - présenter sa candidature : faire une demande d'admission
- les documents qui prouvent la situation du candidat : les pièces justificatives
- excepté autorisation spéciale : sauf dispense
- avoir avec soi une pièce d'identité : se munir d'une pièce d'identité.
- un examen de langue : un test linguistique
- la partie où vous expliquez pourquoi vous voulez vous inscrire : la partie « motivations »
- complétez avec attention : remplissez soigneusement.

89 **a)** Aux étudiants français qui souhaitent faire/continuer leurs études à l'étranger et en particulier en Europe. Ils y trouveront des conseils.

b)

	Berlin	Milan	Stockholm
Prix d'une chambre sur le campus	entre 125 et 300 €/mois	environ 200 €	entre 280 et 330 €
Prix d'un studio en ville	250 € (quartier branché)	600 €/mois	un peu plus élevé que loyer dans résidence universitaire
Prix d'un appartement en colocation	250 €/mois	300 €/mois	300 €/mois
Montant de la caution pour une location	2 ou 3 mois de loyer	3 mois de loyer	
Commission de l'agence immobilière		entre 10 et 20% du loyer annuel	

La ville européenne qui semble la moins intéressante sur le plan financier, c'est Milan. Les loyers y sont prohibitifs, c'est-à-dire très élevés : un studio coûte environ deux fois plus cher qu'à Berlin ou Stockholm, les agences immobilières prennent une commission de 10 à 20% du loyer annuel.

c) - Les étudiants étrangers sont très bien accueillis à *Stockholm*.
- Les loyers coûtent 50% moins cher qu'à Paris : à *Berlin*.
- En général, il faut payer son loyer tous les trois mois à *Milan*.
- Les chambres universitaires ne sont pas équipées d'un coin cuisine à *Stockholm*.
- On peut loger dans une auberge de jeunesse à *Stockholm*.

d) 1. **Berlin :** il faut vérifier que le loyer comprenne bien les charges.
Milan : il faut se faire préciser la surface réelle des appartements.
Stockholm : tout mois commencé est dû en totalité.
2. Vérifiez que… / Attention… / Ne soyez pas surpris si…

90 **a)** 1. **Propositions à cocher :** B, C, D, E, F.
2. A : Les assiettes et leurs couleurs n'ont rien à voir avec la culture culinaire.
 B : Les aliments varient selon les pays, leur situation géographique, leurs productions agricoles, leurs interdits religieux…
 C : Certains aliments sont consommés crus dans un pays, cuits dans d'autres, rôtis, bouillis ou frits, en gros ou petits morceaux…
 D : Les épices diffèrent d'un pays à l'autre, les matières grasses aussi.
 E : Le pain, le riz, le fromage, les fruits, par exemple ne sont pas consommés au même moment selon les pays.
 F : On utilise la fourchette et le couteau en Occident, la cuiller dans certains pays, les baguettes en Asie, les doigts dans d'autres pays…

b) 1. La cuisine est un véritable patrimoine culturel, les aliments… leur mode de préparation… de véritables cartes « géographico-culinaires ».
2. Phrases à cocher : B, C, E, G, H.

c) 1. Elle est familiale. **2.** Elle se fait à l'école.

d) D'une part des habitudes régionales liées à des ressources naturelles différentes (beurre/huile.
D'autre part des rites et interdits en relation avec l'âge et le sexe.

e) « Les plaisirs alimentaires comme les dégoûts s'ancrent dans un cadre culturel pour la vie » : la consommation des cuisses de grenouilles, du chien ou du cheval dégoûte certains mais est recherchée par d'autres.
« L'aliment est un facteur d'identité culturelle profondément ancrée » : les Italiens ne peuvent se passer de pâtes, les asiatiques de riz, les Français de fromage, de pain ou de vin.

f) **Exemples d'interdits :** le porc et l'alcool chez les Musulmans, le piment avant l'âge adulte dans certaines sociétés.
Exemples de bonnes manières : faire du bruit en mangeant ou roter à la fin du repas est très grossier en Occident mais est un signe de satisfaction dans certains pays. Il en est de même pour le fait de finir ou non son assiette.

91 **a)** Franck et Patricia sont en avance ou à l'heure ; Pascale et Alice en retard.

	Pourquoi ?	Réaction par rapport au comportement des autres	Réaction des autres par rapport à son comportement
Franck	- J'anticipe les ennuis qui peuvent survenir. - Je suis ponctuel par politesse et par habitude.	Ça ne me gêne pas d'attendre les autres, la patience fait partie du métier.	
Patricia	- Je ne veux pas stresser à cause d'un problème de voiture ou d'itinéraire. - Être la première, ça donne une position de force.	Je n'aime pas les retardataires, surtout quand ils me donnent des fausses raisons.	
Pascale	- Je préfère me faire désirer, me faire attendre plutôt qu'attendre. - Je suis en retard parce que j'ai voulu faire une dernière chose au dernier moment. - Il faut laisser un peu d'aventure entrer dans le quotidien. Je fais confiance au hasard.	Je ne fais pas de remarques aux autres sur leurs défauts. Et ceux qui arrivent en avance manquent souvent de fantaisie.	En général, on ne m'en veut pas. Même en famille où mon retard peut atteindre une heure. Mes enfants s'impatientent, mon mari râle parfois. En cas de sortie collective, on me cadre pour que tout le monde arrive à l'heure.
Alice	- Je crois au hasard. - Je travaille mieux dans l'urgence. - C'est aussi une façon ludique de vivre, il faut être joueur et parier sur la chance.		

b) Franck est toujours ponctuel et plutôt en avance pour le travail ; dans sa vie personnelle, il arrive à l'heure, « sans plus ». Pour Pascale, au travail, le retard, c'est quinze minutes mais en famille, cela peut atteindre une heure.

c) Grâce à son retard, elle a eu un meilleur « job » et elle a rencontré son mari.

d) - Pour J.-L. Servan-Schreiber, Pascale et Alice seraient plutôt des « narcissiques ». Pour D. Laru, Patricia est très anxieuse, Franck aussi.

- **Non**, parce qu'elles n'en souffrent pas et leur entourage non plus, semble-t-il.

e) Le retard n'est pas spécialement féminin.

f) Ponctuel, respecter les horaires, attendre, la patience, arriver à temps, arriver à l'heure, être la première, s'impatienter, démarrer à l'heure, pile à l'heure.
Stresser, traîner, les retardataires, « le quart d'heure vendéen », une certaine souplesse, me faire attendre, au dernier moment, flâner, avoir toujours quelques minutes, tarder, courir, dans l'urgence, rater, remettre à plus tard, être sur-occupé, retardataire chronique, systématique/occasionnel. L'angoisse de la montre et du calendrier, voler du temps au temps.

92 **a)** Des journaux (cf. *presse*).

b) Aux réactions des usagers des transports./*Impressions.*/ En temps normal, on n'achète pas le journal, on se contente du gratuit.

c) « … les usagers du métro comme tous les matins se ruent sur la pile des quotidiens *Métro* ou *20 minutes* gracieusement distribués depuis février 2002. »

d) Les jeunes, les lecteurs réguliers de la presse quotidienne, les acheteurs occasionnels de quotidiens.

e) Ce type de presse est devenu pour les jeunes une occasion de lire un quotidien, eux dont la principale source d'information demeure la télévision ou la radio.

f) Aspects positifs de la presse gratuite : c'est une presse qui va à l'essentiel, facile à lire, distrayante.

Les infos sont pratiques, synthétiques, le format « sympa ».

g) Deux exemples d'opinion nuancée : « C'est divertissant, mais ça ne remplace pas la vraie presse. », « Les gratuits ne remplacent pas un journal payant qui présente des articles de fond. Mais ils se parcourent plus facilement. »

h) - *« Rapport qualité prix, il n'y a rien à dire ! »* : c'est une remarque amusée, pleine d'humour puisque les gratuits ne coûtent rien. L'expression « rapport qualité-prix » est souvent utilisée lorsqu'on juge la qualité d'un produit en fonction de son prix.

- *« Mal écrit pour mal écrit, autant que ça ne coûte rien »* : c'est à la fois une critique sévère de la presse payante ; les articles seraient mal écrits et de la presse gratuite à laquelle on adresse le même reproche. Toutefois, il est plus facile de pardonner à cette dernière son manque de qualité puisqu'elle ne coûte rien !

93 a) Proposition exacte : 4.

b) 1. Le 1er § spécifie que les espaces fumeurs, jusque là autorisés dans certains lieux publics (restaurants, bars, entreprises) seraient totalement supprimés.
2. Oui, car le texte proposé est beaucoup plus contraignant que la loi Évin qui autorisait la consommation du tabac dans certains emplacements expressément réservés à cet effet.

c) Le Professeur Dautzenberg, président de l'Office français de prévention du tabagisme. Pour lui, la précédente loi créait des ambiguïtés. Les médecins pensent que cette interdiction totale protégera beaucoup plus les non-fumeurs contre le tabagisme passif.

d) Les fumeurs, parce qu'ils ne disposeraient plus d'espaces réservés pour fumer et les débitants de tabac parce qu'ils en vendraient beaucoup moins. Cette opposition serait peu à peu moins forte chez les fumeurs qui verraient leurs dépenses de tabac diminuer et leur santé s'améliorer mais on peut penser qu'elle serait toujours aussi forte chez les débitants de tabac.

e) Le tabagisme passif.
Cette loi protégerait les non-fumeurs car le tabagisme passif cause environ 3 000 décès par an en France. Un non fumeur, qui vit avec un fumeur, a 25 % de plus de risques d'avoir un accident cardiaque ou un cancer du poumon. La fumée du tabac est très cancérogène et il faut plus de trois heures pour supprimer les effets d'une cigarette fumée dans une pièce.

94 a) Wangari Maathai est la première femme africaine à avoir reçu le prix Nobel de la paix.

b) 1. En 1977.
- Son objectif était de protéger les forêts et donner vie à de nouveaux arbres pour répondre aux besoins des femmes pauvres des zones rurales.
- La déforestation qui conduit à la désertification.
- En près de trente ans, 100 000 femmes de 13 pays ont planté 30 millions d'arbres.
- Il repose sur les femmes.
- Les ceintures vertes fournissent de l'ombre et protègent du vent, facilitent la préservation du sol, accroissent la beauté du paysage et procurent des habitats aux oiseaux et autres petits animaux. Elles améliorent les sols et les réserves d'eau.
- Elles fournissent combustible, nourriture, bois de construction et revenus pour assurer l'éducation des enfants et les besoins domestiques. De plus, cette activité crée des emplois.
- Le mouvement ouvre la voie au développement durable par l'éducation à travers les réunions, le planning familial, la recherche d'une alimentation saine, la lutte contre la corruption.
2. - C'est tout à fait justifié puisque le mouvement a beaucoup d'effets très positifs.
- Il y a un jeu de mots sur les verbes **servir** et **serrer**. Le mouvement **sert**, est utile à la préservation de l'environnement et à la vie des populations ; une ceinture **serre** la taille.

c) - « Les arbres sont parfois plantés en expression d'une contestation politique. »
- W. M. dit explicitement : « Avec le temps, l'arbre est aussi devenu un symbole de paix et de résolution des conflits. »

95 a) – « Nous avons des devoirs… ayons aussi des droits » : Ahmad Salamatian, Nassima Youyou.
- « Être citoyen, c'est s'intéresser… pleinement » : Nassima Youyou, Roger Yoba, Tingxiao An.
- « Quand on partage… pouvoir voter » : Roger Yoba, Tingxiao An.
- « Il n'est pas juste… puissent voter et pas nous » : Roger Yoba.
- « Donner le droit de vote… intégration » : Nassima Youyou.

b) - Argument des opposants : Les étrangers n'ont qu'à acquérir la nationalité française.
- « La France doit accepter ses étrangers en tant que tels ».
- **Nassima Youyou :** « La citoyenneté n'est pas synonyme de nationalité. »

c) - La **citoyenneté** est plus importante que la **nationalité**, celle-ci n'est qu'un bout de papier.
- On est **citoyen** d'un pays d'abord quand on en respecte les lois, qu'on paie des impôts dans ce pays mais aussi quand on adhère à ses valeurs et qu'on s'implique dans la vie locale.

96 a) Un **mirage** est « un paysage imaginaire qui apparaît dans le désert comme un reflet dans l'eau » (J. Rey-Debove, *Dictionnaire du français*).
Le mot auquel il s'associe est donc « illusion ».

b) 1. La gratuité des musées. **2.** « La gratuité a des allures d'oasis, mais elle peut être aussi un mirage. »

c) 1. Pour jouer un rôle d'éducateur, pour « favoriser l'accès de leurs biens au plus grand nombre ». Comme les gens « prennent » ce qui est gratuit, ils iront plus facilement dans les musées. D'autre part leur gratuité permettrait d'éviter une « ségrégation sociale ».
2. Les deux images : l'oasis et le mirage ; **le mot d'articulation :** la coordination « mais ».
• La gratuité est un mirage parce qu'**elle coûte cher** particulièrement au **contribuable**. Mais celui-ci souhaite par ailleurs **des baisses d'impôt**, ce qui signifie moins d'argent pour **les musées nationaux et municipaux**, pour subvenir **à leur entretien et à l'enrichissement du patrimoine**. Donc, baisse d'impôts et gratuité pour tous **ne vont pas ensemble**, c'est **un mirage**. Il faut réserver la gratuité **aux plus démunis**, ce qui est déjà la réalité. D'autre part, la gratuité n'est pas suffisante pour permettre à tout le monde **de se rendre dans les musées, d'accéder aux richesses nationales** parce qu'« **il faut aussi donner à chacun au préalable le goût du plaisir de voir.** »
• En résumé, l'éditorialiste est contre la gratuité des musées car il pense qu'elle « ne résout pas à elle seule le problème de l'accession de tous à la consommation culturelle. »

97 a) 1. Il s'agit d'une lettre publicitaire . / **2.** C'est un journal.

b) En France, Marianne symbolise la République. Elle figure sur les timbres et son buste est dans toutes les mairies.
c) 1. *Si vous…*
2. §1 : nous vous conseillons de ne jamais vous abonner à un tel journal / **§2 :** *Marianne* n'est pas fait pour vous / **§3 :** Pas besoin de *Marianne* / **§4 :** exit *Marianne*.
« Mais » ; « Alors ce courrier vous concerne. »

d) différent, moins conformiste, libre, totalement indépendant.

e) 1. § 1 : *Marianne* dérange / **§2 :** *Marianne* remet en cause les dogmes / **§3 :** *Marianne* n'est pas remplie de publicité, n'est pas un « newsmagazine » à l'américaine / **§4 :** *Marianne* ne joue pas sur le cadeau pour faire abonner les lecteurs.

2. Ils ne veulent surtout pas remettre en question quoi que ce soit, faire réfléchir leurs lecteurs, combattre les injustices. Ils sont d'accord avec le monde tel qu'il est. Ils sont pleins de publicités, ils proposent des cadeaux en prime à l'abonnement (au lieu d'attirer par la qualité de leur travail).
3. Parce que c'est une démarche que ses rédacteurs ne jugent pas « intellectuellement correcte ».

f) *Marianne* ne s'adresse pas aux lecteurs conformistes.

g) *Marianne* revendique très fort sa liberté, son indépendance. Le tableau de Delacroix représente « La Liberté guidant le peuple ». Le prénom *Marianne* est apparu au moment de la Révolution, il symbolisait à la fois la République et la Liberté.

98 a) Affirmations justes ; Règle du jeu : 1,3 / **Technique de résolution :** 1,3 / **Conseils :** 1, 2, 3, 4.
b)

A	R	G	U	M	E	N	T	S
T	M	U	N	A	S	G	R	E
S	E	N	G	T	R	U	M	A
R	S	M	E	N	G	T	A	U
E	U	T	R	S	A	M	N	G
N	G	A	T	U	M	E	S	R
G	T	E	S	R	N	A	U	M
M	N	R	A	G	U	S	E	T
U	A	S	M	E	T	R	G	N

99 Bons conseils : se brûle **(1)**, perd connaissance **(3)**, a un accident de voiture **(1, 2)**, avale un produit toxique **(aucune des propositions)**, s'étouffe en mangeant **(2)**, se fait mordre par un serpent **(2)**.

100 a) Donner des conseils de rangement/La maison (la bibliothèque, le frigo, les placards)
b) - Ne garder que le beau ou l'utile.
    - Trier régulièrement (et jeter en partie) les objets, jouets journaux et photos.
    - Prévoir large dans les espaces dévolus au rangement.
    - Garder à portée de la main ce dont on se sert souvent (le nombre de mouvements nécessaires à la prise et à la remise en place d'un objet détermine la probabilité qu'il soit correctement rangé).
    - Faciliter le repérage des boîtes, cartons et bocaux.
    - Adapter ses rangements à sa manière de vivre (si votre enfant fait de la pâte à modeler dans la cuisine, pourquoi ne pas lui réserver un tiroir ?).
    - Manipuler chaque objet le moins possible (tout ce qu'on pose « là pour l'instant » est un début de fouillis).
    - Ne pas utiliser le bazar comme pense-bête (je place mes chaussures dans l'entrée pour penser à les emporter cher le cordonnier)
    - Se souvenir enfin qu'un rangement n'est jamais définitif.

II. PRODUCTION ÉCRITE

Les « corrigés » ne sont souvent que des propositions, des exemples de production. Quand il y en a déjà une dans l'activité elle-même, il n'y a pas de corrigé. C'est le cas pour les activités 122 et 123.

101 « Le point, disait-il, ferme le sens. » Je m'appliquais, en écrivant sous la dictée, à déterminer le moment où le sens était fermé. Depuis – oh ! la puissance des maîtres ! – je suis resté hanté par la crainte de mal ponctuer. À chaque nouvelle épreuve d'imprimerie – et il me faut beaucoup de nouvelles épreuves – je change la ponctuation de la précédente. Je voudrais écrire sur la matière un traité où je mettrais en épigraphe : « Dis-moi comment tu ponctues et je te dirai comment tu penses. »

102 Le Père Noël, dont la Poste assure le secrétariat, a reçu cette année 1,2 million de lettres et courriels, ce qui représente une augmentation de 8 % par rapport à 2004, a indiqué La Poste lundi.
« Le courrier du Père Noël est en augmentation régulière, année après année, mais cette année c'est le nombre de courriels, envoyés par Internet, qui augmente le plus vite », a indiqué un porte-parole de La Poste. Cette année, le Père Noël a reçu 1 030 000 lettres et 170 000 courriels, en provenance de 118 pays différents.
Le secrétariat du Père Noël, qui est installé à la poste de Libourne (Gironde), où travaille une équipe de 60 secrétaires recrutés pour l'occasion, a scrupuleusement répondu à chacun des courriers, par une lettre-type signée du « Père Noël qui pense à toi ».
Le nombre de réponses est même supérieur au nombre de lettres reçues, puisque certaines lettres sont envoyées par des classes entières, avec les listes d'adresses des enfants, qui tous recevront une carte illustrée, accompagnée de trois petits jeux-devinettes.

103

	Mots remplacés	Mots de reprise		
		Pronoms	Noms/expressions	Possessifs
Texte 1	le Loup	qu'<u>elle</u> considère au-dessous d'<u>Elle</u>	cet animal plein de rage votre Majesté cette bête cruelle	<u>sa</u> boisson
Texte 2	le Grand Meaulnes	je <u>le</u> trouvais <u>Il</u> s'avança en <u>le</u> considérant allez <u>vous</u> asseoir	le grand compagnon	<u>son</u> air épuisé <u>ses</u> yeux rougis à <u>votre</u> place

	Mots remplacés	Mots de reprise		
		Pronoms	Noms/expressions	Possessifs
Texte 3	Wang-Fô	qui s'emparait comme s'il s'efforçait	le vieux peintre un vieil homme cet artisan taciturne	son disciple sa tête sa main de sa tasse
	Ling	il eut Wang-Fô pour compagnon de table		son père sa mère
	la mère de Ling	lui avait légué en la maudissant elle n'était pas un fils	l'unique enfant d'un marchand de jade	
Texte 4	les gâteaux	chacun est destiné celui-en-supplément-pour-les-gourmands	une religieuse au café, un paris-brest, deux tartes aux fraises, un mille-feuille	

104 **a)** Dans la cour de l'école, tous les enfants n'ont pas les mêmes jeux ; **les uns** jouent au ballon, **les autres** (jouent) à la marelle/à cache-cache.
2. Parmi les peintres du XXᵉ siècle, je préfère Matisse à Picasso ; **ce dernier** est parfois trop audacieux / trop irrationnel pour moi.
3. La plupart des élèves de cette classe envisagent des études scientifiques ; mais pas tous : **certains** veulent préparer l'École Nationale d'Administration de Strasbourg.
4. Elles sont parties retrouver leurs amies. **Celles-ci** font du camping dans les gorges de l'Ardèche.

b) **1.** Elle avait deux filles : la première avait les yeux bleus, la seconde de grands yeux verts.
2. Je me souviens plus particulièrement de trois collègues de travail : Rachel, Lise et Aurélie. Cette dernière ne commençait jamais son travail avant 9 h 00.
3. Nous ne savions plus que faire. L'un voulait partir, l'autre voulait rester.
4. Ils décidèrent d'amener Paul à Nice ; celui-ci n'avait jamais vu la mer.

105 Pierre attend le train. Mais il a du retard et Pierre s'impatiente parce qu'il est pressé de partir. Il va à Strasbourg où Jean, son ami, habite depuis deux ans. Jean ne veut pas revenir à Poitiers : il y a passé son enfance mais il est fâché avec sa famille et il déteste cette ville. Mais il n'est pas fâché avec Pierre ! Celui-ci (ce dernier) a promis de lui rendre visite quand il est parti mais il ne l'a pas encore fait et ils ne se sont pas revus depuis le départ de Jean. Pierre sait que son ami l'attend avec impatience et il pense souvent à lui. La semaine dernière, Jean lui a téléphoné pour lui demander de venir le voir. Pierre a enfin accepté. Il est très content de revoir Jean, il a beaucoup de choses à lui dire.

106 **1 :** en effet - **2 :** de plus - **3 :** ainsi

107 L'UNAF a toujours été opposée… Pourquoi ? **D'abord, parce que** les allocations n'ont pas été faites pour cela **mais** pour compenser la charge que représente un enfant. Il ne faut **donc** pas leur faire jouer le rôle de sanction. **Ensuite,** il est probable que… prendre une telle mesure, c'est donc ajouter du malheur au malheur. **Enfin,** je ne comprends pas pourquoi on recourrait à cette suspension, **alors qu'**il existe… […]
Les solutions financières punitives ne changeront rien au manque d'autorité de certains parents, **car** ce problème est multifactoriel […] Et quand un parent se sent totalement dévalorisé parce qu'il n'a pas d'emploi…

108 **a)** Mon mari a disparu. Il **est rentré** du travail, il **a posé** sa serviette contre le mur, il m'**a demandé** si j'**avais acheté** du pain. Il **devait** être aux alentours de sept heures et demie.
Mon mari a-t-il disparu parce que, ce soir-là, après des années de négligence de ma part, excédé, fatigué par sa journée de travail, il en **a eu** subitement assez de devoir, jour après jour, redescendre nos cinq étages en quête de pain ? **J'ai essayé** d'aider les enquêteurs : **était-ce** vraiment un jour comme les autres ? Nous **avons épluché** un à un les fichiers informatiques ouverts par mon mari depuis le matin. Il n'**avait rien vendu ni reçu** de spécial, il **avait fait visiter** trois appartements, il **avait déjeuné** comme tous les jours d'un sandwich acheté au coin de la rue. Les visiteurs (un jeune couple, un couple entre deux âges et un

divorcé grisonnant, rencontrés par les enquêteurs) **n'avaient rien remarqué** de particulier hormis un chauffe-eau défaillant et autres immobiliers, ils **étaient venus** pour ça, ils ne **se souvenaient** même plus de la tête de mon mari. [...]

b) [...] Un dimanche, au marché, il achète à un colporteur un tee-shirt qui lui plaît bien, et qu'il enfile aussitôt. Sur le tee-shirt, il y a un dessin qui représente un homme coiffé d'un grand chapeau, portant deux cartouchières croisées sur sa poitrine et tenant une carabine à la main, dans lequel il reconnaît sans peine le révolutionnaire Pancho Villa. Sous le dessin, est écrit en grandes lettres rouges : PARRAL, CAPITAL DEL MUNDO. Toute la matinée, et une partie de l'après-midi du dimanche, notre ami se pavane dans le centre ville, arborant son tee-shirt neuf. Il ne manque pas de le montrer à Yola puis à quelques-uns de ses amis. Il va rentrer chez lui pour déjeuner vers quatre heures, quand il avise sur les marches de l'église, un vieux mendiant vêtu de haillons, coiffé d'un large chapeau à l'ancienne et chaussé de *huaraches* à semelles en pneu de camion. Comme il lui reste quelques pesos, il les met dans la main du vieil homme. Celui-ci lui prend la main, et Paco pense que c'est pour le remercier, mais le mendiant ne lâche pas sa prise. [...]

109 PROPOSITION

Comme s'en souvient très bien Francine Le Trédoux, issue d'une famille de goémoniers depuis plusieurs générations, les arracheurs de goémon ne chômaient pas.
Ils travaillaient trois ou quatre heures sans arrêt (sans s'arrêter) et rentraient ensuite au port. Ils prenaient alors le déjeuner à la maison (chez eux)/C'est alors qu'ils prenaient leur repas, chez eux. C'était (un travail) difficile, bien sûr. Certes, quand le temps était calme, cela allait (c'était supportable) mais quand il y avait du vent ou de la tempête c'était bien plus dur. Ils partaient toujours à deux par bateau. Ils travaillaient debout, l'un devant et l'autre derrière afin de ne pas se blesser avec leur outil (pour ramasser le goémon). C'était une position bien sûr souvent inconfortable mais ils ne se plaignaient pas beaucoup (mais ils se plaignaient rarement). Ce travail était leur gagne-pain et ils devaient rapporter quelque chose à la maison. Ils avaient donc beaucoup de courage.

110

La fusée russe chargée de placer sur orbite le satellite Giove-A a décollé avec succès du centre spatial de Baïkonour au Kazakhstan mercredi 28 décembre 2005 à 11 h 19 (heure locale).
Le satellite Giove-A, « Galileo In Orbit Validation Element », un gros cube de 602 kilogrammes, fabriqué par une société britannique, est le premier élément du système de navigation par satellite *Galileo*.
Il va servir pendant deux ans à valider dans l'espace plusieurs technologies nouvelles, à tester par exemple l'horloge atomique la plus exacte jamais envoyée dans l'espace et les signaux de navigation.
Pour Dominique Detain, un des porte-parole de l'Agence spatiale européenne, le lancement de ce satellite « est une étape essentielle du projet *Galileo* : le passage de la théorie à la pratique ». Pour Philippe Douste-Blazy, ministre français des Affaires étrangères, il « marque l'indépendance de l'Union européenne ».
Galileo est un projet principalement civil qui permettra à l'Europe d'acquérir son indépendance dans un domaine stratégique : le positionnement par satellites, devenu indispensable pour la gestion du trafic aérien, maritime et automobile comme pour la pêche, l'agriculture ou encore les télécommunications.
Grâce à ses 30 satellites, on pourra retrouver un conteneur perdu, repérer une voiture volée, trouver son chemin en voiture dans une ville inconnue, secourir un randonneur perdu.
Galileo sera opérationnel commercialement en 2010.

111 a) 1. Merci pour les beaux cadeaux. / 2. Tu m'aimes ? Tu me manques ! À demain ! / 3. Désolé, je suis en retard. Je suis énervé, j'ai un problème : mon PC est cassé . / 4. Qu'est-ce que tu fais ? Je t'attends depuis 25 minutes ! / 5. Les SMS, c'est super, en plus ça va vite mais après dans les rédactions de français, bonjour les fautes !

b) - Pour, c'est clair sinon il n'y aurait pas d'ambiance ! Ce serait triste ! Evanou.
- Moi, je trouve que Bineta a raison. C'est plus amusant (rigolo) et je trouve que c'est bête de séparer les filles des garçons !
- Moi, je suis pour parce que sinon je ne pourrais pas voir mon copain dans la cour. Gros bisous (à moins que BIG KISS ne soit le pseudonyme utilisé par cet (te) internaute...).

112 B.a. – Ba

M. de Villepin a enfin reconnu que la méthode globale d'apprentissage de la lecture et de l'écriture n'était pas bonne. Que fait-on de la génération de handicapés (si, si !) ainsi (dé)formés ? On leur verse une pension, on les reçoit à Matignon pour présenter des excuses ou on leur offre un abonnement à Télérama en compensation ?

113 PROPOSITION

La tradition de la Fête des lumières remonte au 8 décembre 1852. Ce jour-là, certaines festivités prévues pour l'inauguration de la statue de la Vierge Marie, installée sur la basilique qui domine la colline de Fourvière, perturbées par le mauvais temps, ont dû être annulées. Les Lyonnais ont alors décidé d'allumer des bougies à leurs fenêtres. Ces illuminations ont tellement plu qu'elles ont été répétées les années suivantes. Cette fête, d'origine religieuse, est devenue si populaire que la ville de Lyon a décidé, dans les années 1980, d'en faire une grande « Fête des lumières » avec des illuminations, chaque année différentes. Cette manifestation, unique en Europe, attire des millions de visiteurs qui, pendant les quatre jours où elle dure, envahissent les rues et les places de Lyon afin d'admirer des monuments ou des sites mis en valeur par de véritables mises en scène de lumières. Les millions de petits lumignons sur les rebords des fenêtres mais aussi les lumières multicolores projetées sur les monuments ou les spectacles de toutes sortes que l'on découvre au hasard des rues font de cette fête un moment inoubliable. Je garde un souvenir émerveillé des jeux de lumières et des musiques qui les accompagnent, jaillissant d'un peu partout et même des bouches d'égouts… On s'amuse, on rit, tout le monde se parle et s'extasie… Si vous vous trouvez en France à cette époque de l'année, n'hésitez pas, allez à Lyon, vous ne le regretterez pas ! Un conseil toutefois : essayez de réserver votre hôtel à l'avance, sans cela, vous risquez de dormir à la lumière… des étoiles !

114 PROPOSITION

Monsieur,

Suite à votre courrier dans lequel vous me demandez des précisions sur l'inondation qui s'est produite chez moi, je vais vous expliquer ce qui s'est passé.

Dimanche dernier, au lendemain d'une petite fête chez moi, je suis descendue dans ma cuisine assez tard, vers 10 h pour préparer le petit déjeuner. Quelle a été ma stupeur, en ouvrant la porte, de trouver toute la cuisine inondée ! Je n'avais rien remarqué dans l'entrée car il faut descendre deux marches pour accéder à la cuisine. Tout baignait dans vingt à trente centimètres d'eau ! J'ai vite appelé mon mari et mes enfants pour qu'ils viennent m'aider. Mon mari a aussi essayé de téléphoner à un plombier. Le dimanche, il est impossible de trouver quelqu'un !… Après plusieurs coups de téléphone sans succès, le plombier d'un service d'urgence accepté de se déplacer et de venir, dès qu'il aurait terminé le dépannage qu'il était en train de faire. En l'attendant, nous avons coupé l'eau car nous nous sommes aperçus qu'un tuyau avait cédé. Nous avons vidé l'eau avec des bassines et des seaux et nous avons épongé le sol et les meubles… Tout était presque terminé quand le plombier est venu réparer. Maintenant nous devons racheter certains meubles (des chaises, une petite table…) et aussi une machine à laver et un lave vaisselle qui ont été endommagés. Nous devons enfin attendre que tout soit bien sec pour faire repeindre la cuisine. En attendant, pour préparer les repas, je dois utiliser un réchaud de camping et un four micro-ondes que l'on m'a prêtés.

Allez-vous m'envoyer un dossier à compléter ou bien est-ce que quelqu'un va passer évaluer les dégâts ? Dans l'attente de votre réponse que j'espère rapide,

Je vous prie, Monsieur, de bien vouloir agréer l'expression de mes salutations distinguées.

115 Le nouveau marché, c'est parti !

Notre ville en avait bien besoin. L'ancien marché de la Place Saint-Jean, déjà peu pratique d'accès, était devenu vraiment trop petit. C'est à la satisfaction générale que les travaux ont commencé en juin. Ils dureront un an. Ce grand bâtiment, très moderne, offrira aux commerçants comme aux clients, l'espace et les équipements adaptés aux besoins actuels. Le cabinet Sureau, qui l'a conçu, l'a voulu sobre, fonctionnel et très lumineux : il fait une large place au verre. On peut toujours voir la maquette en mairie.

On tourne

Nos belles vieilles rues, à côté de la cathédrale, ont encore prêté leur décor moyenâgeux au tournage d'un film. Cette fois, c'est Xavier Duchêne qui y a installé ses caméras pour nous raconter une étrange histoire de sorcellerie. Pendant trois semaines, les habitants du quartier ont eu la chance de suivre le travail de son équipe et de voisiner avec la très jolie Élodie Valleix. Le film sortira en avant-première dans notre ville en janvier prochain.

Grand succès pour les rencontres de folklore

Les cinquièmes rencontres de folklore se sont déroulées la première semaine d'août. Elles ont attiré un public encore plus nombreux que les précédentes. L'Asie centrale était bien représentée cette année et les troupes kirghizes et ouzbeks, en particulier, ont obtenu un très vif succès. Les organisateurs, ravis, ont de grands projets pour l'année prochaine mais… chut ! ils ne veulent pas nous en dire davantage pour le moment !

116 **a)** **1.** Ses études à l'ESSEC, son départ au Mexique, son travail au sein des communautés indiennes zapatistes, son retour en France, son changement d'orientation professionnelle (études de sociologie, adhésion au *Repas*), son départ à Abbeville-Saint-Lucien et enfin son dernier emploi.
2. En 1994,…. Une fois sortie de l'ESSEC…, De retour en France,…. , C'est ainsi qu'en 2003,…. avant de partir s'installer à Abbeville-Saint-Lucien.

117 PROPOSITIONS

a) Le Musée d'histoire d'Oslo a eu la surprise de recevoir cette semaine, par la poste, une poignée d'épée viking datant du IXe siècle ! Une lettre l'accompagnait, elle était anonyme mais écrite en français. Son auteur expliquait que jeune étudiant, passionné par la civilisation viking, il avait visité à plusieurs reprises le musée d'Oslo au début des années 60 et qu'un jour il n'avait pas résisté à la tentation. Seul dans une salle, il avait pu voler facilement cette poignée d'épée. Il l'avait conservée chez lui pendant toutes ces années, bien longtemps après avoir abandonné ses études sur les Vikings, pour qui il conservait toujours la même fascination. Récemment victime d'un accident cardiaque, il s'était rétabli mais sa conscience avait commencé à le tourmenter : il ne pouvait plus garder en sa possession un objet volé à un musée…
Au musée, personne ne se souvenait que cet objet, qui n'a pas en lui-même une très grande valeur, avait disparu des collections. Mais on l'a bien sûr récupéré avec satisfaction et placé en lieu sûr. On a du même coup vérifié que les systèmes anti-vol étaient aujourd'hui beaucoup plus performants qu'au début des années 1960.

b) Un tracteur verbalisé à Paris
VESOUL (AFP) - Un retraité haut-saônois, qui se voit réclamer une amende de 375 euros pour stationnement gênant de son tracteur à Paris, tente de convaincre l'administration qu'il n'a pu conduire l'engin jusqu'à la capitale pour le garer en infraction dans une rue du 18e arrondissement.
Si l'immatriculation 137 CD 70 inscrite sur la lettre de rappel du tribunal de police du 18e arrondissement de Paris correspond bien à celle du vieux tracteur d'Adrien Goichot, celui-ci ne parvient pas à comprendre comment le véhicule, qui n'a jamais quitté le hameau de Pennesières, près de Vesoul, a pu être vu à Paris.
« Je suis déjà allé à Paris, mais pas récemment, ça doit dater du service militaire, et je n'y suis pas allé en voiture, encore moins en tracteur ! », a-t-il confié jeudi à l'AFP, dix jours après avoir reçu le rappel d'une amende pour une infraction constatée le 2 août 2004 et dont il n'a jamais eu la première version.
Cet ancien ouvrier de l'usine Peugeot de Vesoul, âgé de 66 ans, mise sur la lettre de réclamation qu'il a aussitôt envoyée au tribunal de police pour éclaircir l'affaire.
« Soit c'est une erreur de relevé, soit c'est un Parisien qui en passant près d'ici a relevé mon immatriculation et s'en est servi », soupçonne le paisible retraité auquel ses parents ont transmis le tracteur de la ferme familiale, mis en circulation en 1960.

118 **a)** lundi soir - quelques jours après la prise de vue - en 1950 - aussitôt - ensuite - avant d'être repérée par un éditeur de posters et de faire le tour du monde - en 1992 - alors

PROPOSITION

b) C'est entre 1503 et 1507 que Léonard de Vinci peint son célèbre tableau. Mais qui est son modèle ? On ne le sait toujours pas avec certitude : peut-être Lisa Gherardini, qui avait épousé en 1495 Francesco del Giocondo, marchand d'étoffes florentin. C'est de là que viendrait le nom du tableau, la Gioconda, la Joconde.
Léonard apporte le tableau lorsqu'il vient en France à la cour du roi François Ier et ce dernier l'acquiert en 1519. La Joconde entre dans les collections royales.
À l'époque de Louis XIV, elle est exposée à Versailles. Puis Napoléon l'installe aux Tuileries, dans les appartements de Joséphine. Enfin, en 1804, il l'offre au Louvre, devenu musée en 1793. Elle y est depuis… Pas tout à fait pourtant !
En 1911, le 21 août, elle disparaît ! La Joconde est volée…
Une longue enquête policière commence alors pour la retrouver. Pendant un moment, les soupçons se portent même sur un peintre, Picasso, et un poète, Apollinaire !
Elle est finalement retrouvée en 1913. L'auteur du vol n'est ni l'un ni l'autre des deux artistes mais un vitrier italien, qui avait travaillé au musée. Lors du procès, il déclarera avoir voulu restituer le tableau à son pays d'origine.
La Joconde est alors réinstallée solennellement au Louvre où elle est désormais jalousement surveillée.
Pendant la Seconde Guerre mondiale, elle est mise en sécurité.
Depuis, elle n'a quitté son musée que pour deux grands voyages : l'un aux États-Unis en 1963, l'autre au

Japon en 1974. Et elle continue à sourire à ses innombrables admirateurs. Pas question de visiter Paris sans aller la voir! Elle est l'objet d'un véritable culte.

119 **a)** Voici la vraie version du conte:
1. Le peintre s'incline devant l'empereur, il accepte mais demande pour son paravent la soie la plus fine qui puisse exister. Pendant ce temps, il se préparera à peindre les dragons. La fabrication de la soie est très difficile et très longue. Beaucoup de temps passe, un jour enfin elle est prête. L'empereur envoie un messager au peintre mais celui-ci fait répondre qu'il n'est pas encore prêt pour la peinture. Au bout d'un long moment encore, l'empereur renvoie un messager mais celui-ci rapporte la même réponse. Le temps passe... et l'empereur s'impatiente de plus en plus. Un jour enfin, le peintre revient et dit que cette fois il se sent prêt. L'empereur se réjouit.
Le peintre se fait apporter deux pinceaux, de la couleur jaune et de la couleur bleue et s'approche du paravent. D'un seul coup de pinceau, il trace un trait jaune puis d'un autre coup de pinceau, un trait bleu. Il dépose ensuite ses pinceaux et déclare qu'il a achevé le travail.
Dès qu'on annonce cette nouvelle à l'empereur, très heureux, il se précipite pour admirer l'œuvre du peintre. Quand il arrive devant le paravent, il ne peut en croire ses yeux: il ne voit que deux traits.
2. La nuit vient, l'empereur ne peut pas dormir. Dans l'ombre, les deux traits tracés par le peintre grandissent et s'animent: ils deviennent des dragons qui luttent, des dragons rapides et puissants. Au matin, l'empereur décide de découvrir le secret de l'artiste qui a peint ce chef d'œuvre. Il part pour la caverne où le peintre a travaillé pendant de longues années avant de peindre les deux dragons sur le paravent.
Quand il entre dans la caverne, l'empereur voit deux dragons sur les murs: ils sont peints avec une précision parfaite: on voit chaque écaille, chaque dent et leurs narines jettent du feu. Au bas de cette peinture, il y a une date: celle du jour où l'empereur a commandé la peinture. A coté de cette peinture, il y en a une autre, puis une troisième, une quatrième, une cinquième.....Toutes les parois de la caverne sont couvertes de peintures représentant deux dragons, l'un bleu et l'autre jaune. Chaque image est datée. Les années se succèdent. Et chaque fois le peintre simplifie sa peinture. Enfin, la dernière image est celle qu'il a peinte sur le paravent et l'empereur comprend que c'est la plus forte, la plus belle. Il revient en hâte dans sa capitale.
b) Pas de corrigé. Le conte est celui de « La Belle au bois dormant ». C'est un conte de Charles Perrault.
c) Pas de corrigé.

120 Le premier texte décrit le rite du départ en retraite dans une entreprise. On organise un « pot de départ ». À l'occasion de ce pot, on offre le ou les cadeaux pour lesquels on a auparavant fait une collecte auprès de tous les employés.
Le second texte décrit un rite qui n'existe plus aujourd'hui en France, du moins dans l'enseignement public, celui de la distribution des prix aux meilleurs élèves, à la fin de l'année scolaire.

121 **1.** la période de l'année où on le pratique - la région où on le pratique - le déroulement - la règle du jeu - les variantes régionales - les rites.

124 PROPOSITION
Un bon livre, pour moi, c'est un livre qui m'apprend quelque chose, un livre qui me dépayse, un livre qui me fait rêver. J'aime bien les livres que je n'ai pas envie de quitter dès les premières pages parce que le ton, les mots, l'atmosphère, les personnages ont su me toucher et me maintenir éveillé(e). Je me souviens toujours de ma découverte passionnée de Jules Verne et de son *Tour du monde en 80 jours*. J'y ai découvert la géographie, l'aventure, les progrès scientifiques et techniques de la fin du XIXᵉ siècle qui permettaient enfin de dominer les distances, l'espace. D'une certaine manière, ce livre a été déterminant dans mes choix de lecture et mon goût pour la science-fiction en littérature comme au cinéma.

125 PROPOSITION
Alors que la mixité dans les établissements scolaires, de la maternelle à l'université, semblait bien établie depuis de nombreuses années, elle est, de nos jours remise en question, avec quelques bonnes raisons. Certaines personnes considèrent qu'elle est source de distraction, en particulier au collège et au lycée: à l'âge des premiers émois amoureux, la présence de filles et de garçons dans une même classe susciterait chez les adolescents des préoccupations qui les détournent de leur études. Je ne partage pas cet avis car je pense que ces préoccupations n'ont rien à voir avec la mixité: les jeunes gens de la génération précédente les connaissaient aussi, alors que les établissements de filles et de garçons étaient bien séparés.

On peut, en revanche, lui reprocher de créer des confrontations négatives entre filles et garçons. Dans la compétition scolaire, les jeunes garçons, conditionnés par une société encore machiste, supportent parfois très mal d'être dominés par des filles, souvent plus précoces intellectuellement. Quand ils n'en tirent pas des complexes, ils réagissent en traitant avec mépris non seulement les domaines où les filles brillent (les matières littéraires, par exemple), mais aussi toute attitude sentie comme « féminine », tout ce que les filles aiment. Si bien que les filles souffrent dès l'école primaire des brimades des garçons.

Cependant, selon moi, il ne faudrait pas en déduire que la mixité est un échec. Dans une société normale, hommes et femmes, garçons et filles, sont destinés à vivre ensemble, avec leurs différences. La mixité à l'école n'a pas pour but d'uniformiser les sexes, mais de préparer à cette vie commune. Cela ne fait sans doute pas sans problèmes et sans conflits, mais c'est bien préférable à un système où les filles d'un côté, les garçons de l'autre, reçoivent une éducation spécifique qui renforce leurs différences et les maintient dans l'ignorance de l'autre.

126 PROPOSITION

D'après des sondages récents, les jeunes boudent la presse écrite : elle est la principale source d'information pour seulement 1 % d'entre eux. Ils lui préfèrent la télévision (68 %) qui est la grande gagnante de cette compétition entre les différents médias.

Pourtant lorsqu'on leur demande quelle est, selon eux, la meilleure source d'information, c'est la presse écrite qu'ils placent en tête ! Leur attitude apparaît donc très contradictoire : d'un côté ils attachent une grande valeur à la presse, de l'autre ils ne la lisent pas ! On peut trouver plusieurs explications à cette contradiction : la première, c'et peut-être que les journaux coûtent cher et que c'est trop lourd pour le budget des jeunes qui ont d'autres priorités. Lire le journal est aussi coûteux en temps et là aussi ils ont d'autres urgences. Peut-être enfin que la presse n'a pas su s'adapter aux jeunes, qu'elle s'adresse à des lecteurs plus âgés. En ce qui me concerne, je pense que le moyen d'information le plus complet est la presse écrite : non seulement les quotidiens et les magazines couvrent toute l'actualité mais ils apportent aussi des commentaires et des débats qui aident à réfléchir, à comprendre et approfondir une question. Mais je dois reconnaître que je la lis rarement par manque de temps et que la radio offre aussi de très bonnes émissions d'analyse. Je n'apprécie pas trop la télévision : je trouve qu'elle privilégie trop souvent le sensationnel.

127 PROPOSITION

Les deux documents abordent chacun à leur manière le problème de l'emploi.

Le sondage CSA/Télérama des 28 et 29 juin 2005 s'intéresse aux professions qui sont bien vues par les Français ; l'extrait du rapport du groupe « Prospectives des métiers et qualifications » du Commissariat général du plan, lui, fait apparaître quelques-uns des métiers qui recruteront d'ici 2010.

Le premier document montre clairement que les professions que les Français recommanderaient à leurs enfants sont assez traditionnelles : médecin, ingénieur, professeur, avocat. Elles représentent probablement encore certaines valeurs bourgeoises : confort matériel, prestige, même si l'image d'un médecin ou d'un professeur d'aujourd'hui n'est plus la même qu'il y a 50 ans. Il est intéressant et étonnant de noter que l'on ne retrouve que deux de ces professions en tête des 22 listées dans l'extrait du rapport : professeur et ingénieur informaticien. Pour ces deux professions, on pourrait donc dire qu'il y a une certaine correspondance entre la place « affective » qu'on accorde à une profession et la place qu'elle occupe réellement dans la société. En revanche, les médecins et les avocats sont absents et je trouve cela un peu surprenant. En effet, on pourrait imaginer, au contraire, une forte demande en médecins dans les années à venir étant donné, par exemple, l'allongement de l'espérance de vie et la nécessité de faire face à de nouvelles pathologies.

128 PROPOSITION

Rapport sur le réaménagement d'un bureau dans l'entreprise Dupont.

L'entreprise Dupont nous a sollicités fin septembre pour l'aider à repenser l'aménagement d'un bureau situé au premier étage.

Après discussion avec la direction, le personnel concerné, il apparaît en effet très clairement que la distribution des postes de travail ne satisfait plus personne.

Il faut rappeler qu'il s'agit d'un espace ouvert de 10 m sur 7 m que se partagent au total et à temps plein 9 employés : 4 secrétaires, 3 comptables, 2 conseillers ; ces derniers y reçoivent aussi leurs clients. Chacun dispose personnellement d'un téléphone.

La nuisance sonore provoquée par les sonneries de téléphone, les conversations, est ainsi en partie responsable de la difficulté à se concentrer qu'éprouvent la plupart des employés de ce bureau. À cela s'ajoute le fait que l'espace se transforme souvent en un véritable lieu de passage d'où un manque d'intimité, de confidentialité, peu compatible avec la nature même des tâches accomplies par les uns et les autres. Pour remédier à cette situation, nous avons retenu trois solutions possibles.

La première consiste à séparer les postes de travail au moyen de cloisons mobiles de 2 m de haut, en tissu et verre acrylique translucide. Dans ces conditions, l'espace est totalement modulable selon les besoins, on y gagne en intimité mais très peu en termes d'isolation phonique et d'aménagement de chaque box. En effet, on ne peut ni accrocher de panneaux aux cloisons, ni y adosser du mobilier : classeurs, étagères, par exemple.

La deuxième consiste à utiliser des semi-cloisons de 1,60 m de haut, en bois, sans porte. C'est une solution qui privilégie l'idée de « chacun son bureau » tout en préservant la communication d'un box à l'autre. Contrairement aux cloisons mobiles, les parois de bois permettent d'agencer des espaces plus confortables. Toutefois, comme la première, cette solution ne permet pas de lutter efficacement contre le bruit.

La troisième solution, enfin, plus classique avec des cloisons pleines jusqu'au plafond et des bureaux individuels fermés. Elle garantit une intimité parfaite, une bonne isolation sonore à condition toutefois de prévoir des matériaux performants et enfin un aménagement intérieur aisé. Esthétiquement, il faut bien voir que cette solution est à l'opposé de ce que vous avez actuellement. En effet, on crée un couloir de distribution et chaque employé est enfermé dans son espace, ce qui ne favorise pas toujours le travail en équipe, peut rendre la concertation plus difficile.

Aucune de ces trois solutions n'est parfaite. Il faut essayer de voir laquelle des trois permet de répondre le plus efficacement à votre souci de bruit et de manque de confidentialité. Sans hésitation c'est la dernière. C'est celle que nous vous préconisons même si elle va vous imposer une autre façon de communiquer.

III. INTERACTION ÉCRITE

Les « corrigés » ne sont souvent que des propositions, des exemples de production. Quand il y en a déjà une dans l'activité elle-même, il n'y a pas de corrigé. C'est le cas pour les activités 129, 130, 133, 136 et 136.

131 PROPOSITION

Incroyable ! C'est complètement incroyable… Il faut que je vous raconte.

Au mois de septembre dernier, le jeudi 19 exactement, nous étions en randonnée dans l'Ötzal, Helmut et moi. Vous savez que nous aimons beaucoup marcher dans ce coin-là. Il faisait un temps magnifique, une belle journée bleue, déjà froide bien sûr à cette altitude. Partis tôt le matin, nous étions montés au sommet du *Finail* et nous redescendions.

Vers midi, nous sommes passés près d'un petit col et nous nous sommes arrêtés un peu à l'écart du sentier pour souffler un peu et manger quelque chose. Tout à coup, Helmut a poussé une exclamation et il m'a dit « Regarde, là… devant le rocher ». Et alors, je l'ai vu ! Un cadavre à demi pris dans la glace mais bien visible. J'ai voulu me lever mais mes jambes m'ont lâchée. Je tremblais de tout mon corps ; Helmut, qui était très impressionné lui aussi, s'est repris un peu plus vite. Il m'a dit : « Allons, ce n'est pas quelqu'un qui est mort récemment, tu vois bien, il est sûrement là depuis un moment, c'est parce que la glace a fondu qu'on le voit maintenant. Sans doute quelqu'un qui a eu un accident de montagne. Il faut qu'on descende prévenir vite. » C'est ce qu'on a fait.

Au poste de secours, ils ne voyaient pas du tout de qui il pouvait s'agir. Ils n'avaient pas entendu parler de disparition dans les dernières années. En faisant des recherches, ils sont remontés jusqu'en 41 : il paraît qu'un alpiniste avait disparu dans la région cette année-là. Ils ont envoyé un hélicoptère pour le dégager, ce n'était pas facile mais ils ont réussi.

Et puis, nous, on est rentrés en Allemagne, on a laissé nos coordonnées en leur demandant de nous dire quand ils auraient vraiment terminé l'identification parce qu'on se sentait concernés bien sûr, on avait vraiment envie de savoir qui était notre Ötzi, comme on l'avait baptisé. Mais les jours ont passé et on ne pensait plus beaucoup à lui. Je ne vous en avais même pas parlé dans ma dernière lettre. Et puis ce matin, un coup de téléphone : vous savez quel âge il a, Ötzi ? Plus de 5 000 ans, beaucoup plus que les plus vieilles momies égyptiennes ! Il paraît que c'est une découverte capitale ! Vous vous rendez compte ! Helmut est bouleversé d'émotion et de fierté et… moi aussi ! Vous lirez certainement ça dans le journal très vite, j'ai voulu vous l'apprendre avant…

132 PROPOSITION

<u>Sujet:</u> **Re : Je pense à vous de loin…**
<u>Auteur:</u> **docoquelicot** - jeudi 28 juillet 2005 16:32
Devine d'où je t'écris. D'Irlande ! Nous avons trouvé un cyberpub pour nous mettre à l'abri en attendant que ça s'arrête… Nous sommes complètement trempés. Il pleut tous les jours depuis notre arrivée et sur nos vélos, je ne te raconte pas. Dur dur ! Pas question de prendre des photos. On regardera les cartes postales au retour…
Retour prévu dimanche. Tiens bon d'ici là !

135 PROPOSITION

Alicante, le 9 février 2006

Salut Philippe !

Comment vas-tu ? Le soleil de cet été ne te manque pas trop ? J'ai vu la météo à la télé. Il a l'air de faire très froid en France en ce moment.
Ce week-end, nous allons tous nous retrouver à l'occasion de l'anniversaire de Felipe. Ses cousins arriveront de Madrid samedi matin. Nous avons réservé une table dans le restaurant où nous avons mangé la paella cet été, tu te souviens ? Nous avons tout organisé en cachette avec la complicité de sa sœur. On lui a acheté un appareil photos numérique. Il est trop triste d'avoir perdu le sien à Nice l'année dernière. S'il fait beau, on a prévu d'aller à la palmeraie d'Elche. Est-ce que tes photos des nénuphars étaient réussies ? Ah, sais-tu que l'appartement du dessous s'est libéré ? Si tu as envie d'investir pour les vacances, n'attends pas !!
J'espère avoir bientôt de tes nouvelles.
Amitiés
Juan

137 PROPOSITION

Je suis bien d'accord avec votre présentation de la fameuse intégrale Mozart dans votre numéro du 30 novembre. J'ai bien apprécié le dessin… Allez ! On solde : tout Mozart à 99 euros comme une paire de chaussures… Ce devrait être 99,99 pour être encore plus dans la logique commerciale. Cette réduction de la musique la plus sublime à un produit qu'on brade comme n'importe quel autre est complètement révoltante. Mais ce n'est pas seulement ça qui est grave, ce sont les conséquences catastrophiques de cette opération pour la vie musicale.
« Danger absolu », comme vous l'écrivez. Quelle maison de disques pourra aujourd'hui se permettre de sortir de nouveaux enregistrements de ces œuvres, de soutenir le talent de jeunes musiciens qui ont quelque chose de nouveau à dire ? Qui les achètera ?
Aubaine pour les acheteurs ? Pas pour ceux qui aiment vraiment la musique, en tout cas.

138 PROPOSITION

La réponse à la question d'Éric Fottorino est parfaitement claire : non évidemment il ne faut pas, non on ne doit pas permettre ça ! Je suis absolument contre ce rallye.
D'abord, comme tout rallye automobile mais plus encore parce qu'il est le plus long, le Dakar participe à la destruction de l'environnement. D'autre part, le Dakar est une insulte à l'Afrique : des bolides traversent à toute vitesse, dans un gaspillage d'énergie monstrueux et sans rien voir, des pays qui sont parmi les plus pauvres. Enfin et surtout, le Dakar est criminel, il tue chaque année, l'Afrique n'est pas un circuit de course, des gens vivent là et marchent parce qu'en Afrique, on marche.
Et ce qui me révolte encore plus, c'est que le Dakar veut se donner bonne conscience, par exemple, en offrant, avec beaucoup de spectacle, une pompe à eau dans un village qu'il traverse.
Peut-être le village où un enfant a été écrasé ?

139 PROPOSITION

À mon sens, la culture n'est pas une marchandise comme les autres. C'est un bien commun. Elle est vivante lorsqu'elle est partagée par le plus grand nombre. Il faut absolument garantir l'accès gratuit aux biens culturels. C'est un effort qui doit être mené par tous. L'État doit aider les communes qui n'ont pas de budget suffisant. En effet, il est parfois difficile de gérer l'extension d'un musée pour qu'il devienne un vrai musée avec une vraie politique d'acquisition d'œuvres d'art sans demander un droit d'entrée.

Même les associations remarquent que la gratuité engendre une fidélité du public. Je fais partie d'une association qui a pour but de mieux faire connaître l'histoire et le patrimoine de notre région : lorsque nous organisons des manifestations, nous faisons en sorte qu'elles soient gratuites. Ce n'est malheureusement pas toujours possible car il nous arrive d'engager des frais importants que notre association ne pourrait pas assumer si c'était gratuit et si elle n'était pas aidée par les partenaires publics.

Par ailleurs, que certains écrivains protestent parce qu'ils ne perçoivent pas de droits d'auteur sur les livres lus dans les bibliothèques, c'est tout à fait scandaleux ! Il est juste de payer des droits d'auteur pour l'achat d'un livre, pas pour sa lecture ! Sinon, lorsque je prête un livre à un ami, il faudrait qu'il paie quelque chose à l'auteur ? Le prêt payant entraînerait une baisse de la fréquentation et une réticence à l'égard des écrivains.

140 PROPOSITION

Il n'y a pas beaucoup de jours où on est content d'ouvrir le journal... Mais celui-ci en est un !

Trois sourires à la une, trois femmes présidentes, et pas des « femmes-potiches » ou des « femmes-marionnettes », non des femmes qui ont quelque chose à dire, à faire, qui ont un projet pour leur pays, des femmes qui ont l'air honnête aussi. Allons, les choses bougent un peu... Oh ! je sais bien que trois femmes au pouvoir ne vont pas changer le monde, qu'elles n'ont pas de baguette magique et qu'elles aussi ont droit à l'erreur. Mais c'est un pas et la journée commence bien. Vous êtes d'accord, vous qui me lisez ?

141 PROPOSITION pour l'activité 1.

Une bouteille à la mer...

Nous habitons tous globalement à moins de vingt minutes du bord de la mer, nous sommes très fiers de nos côtes et nous adorons tous nous baigner, profiter de la plage. Mais nous savons aussi que nos belles plages ne sont pas toujours très accueillantes. Ne vous est-il jamais arrivé de voir s'envoler sous vos yeux des sacs plastique, des papiers gras ou de vous blesser en marchant sur un morceau de verre ? Et sans doute, comme moi, avez-vous pensé qu'il faudrait faire quelque chose.

Et si **nous** faisions quelque chose, et si **nous** bougions ? Je propose de monter une antenne locale de l'association *Initiatives océanes* qui est spécialisée dans la lutte contre la pollution des océans. Chaque année, elle invite ses adhérents et tous les amoureux de la mer à une grande opération de nettoyage du littoral. Nous pourrions profiter de leur expérience et de leur soutien pour la mise en œuvre.

Bien sûr, nous devons nous structurer. Aussi, j'invite tous ceux qui sont intéressés par ce nouveau défi à me contacter le plus rapidement possible : Yves Dubois, Terminale S.

Si nous voulons être prêts pour le printemps prochain, FOYALÉ tout de suite !

Yves D.

142 PROPOSITION

Damien,

Christophe a téléphoné. Tu peux compter sur sa voiture demain.

Il va essayer de la garer dans sa rue, si possible au pied de son immeuble. Tu pourras récupérer la clé et les papiers chez sa copine Flora qui tient la petite boutique de bijoux fantaisie, juste à côté de la papeterie. Ne t'inquiète pas pour l'assurance : c'est Ok. En revanche, vérifie le niveau d'huile et fais le plein (essence sans plomb !) avant de partir.

Si problème, contacte Flora.

Ludo ;-)

143 PROPOSITION

Monsieur Lissandre,

Je regrette de ne pas vous trouver, j'aurais dû vous téléphoner avant... Je ne pourrai pas repasser ces jours-ci, j'aurai trop de travail.

Je vous laisse le chèque pour mon loyer mais je vous serais très reconnaissante d'attendre le 12 pour le déposer : j'ai, en effet, été récemment victime d'un vol avec ma carte bancaire. On a retiré beaucoup d'argent sur mon compte ; heureusement la banque va me rembourser mais ce ne sera pas avant la fin de la semaine. Je vous remercie de votre compréhension.

Je voulais d'autre part vous rappeler que vous aviez promis de m'envoyer un plombier. Ça devient assez urgent maintenant, le robinet fuit de plus en plus... Pourriez-vous m'appeler ou me laisser un message sur mon portable pour me dire quand il passera ?

Merci d'avance ! Bonne journée !

144 PROPOSITION

Chère Marion,

Je réponds rapidement à ton courrier entre deux cours. C'est une super idée de venir étudier chez nous. Oui, le campus est très étendu (on circule tous à bicyclette) et il est possible d'y avoir une chambre. En général, c'est très bien parce qu'on y rencontre toutes sortes de nationalités, l'ambiance est plutôt sympa et amicale. L'environnement est très paisible avec beaucoup de pelouses. C'est à environ 35 minutes du centre ville en bus ; c'est très bien desservi et on peut avoir un tarif spécial étudiant. Si ça t'intéresse, ne tarde pas à envoyer ton dossier !

Je connais aussi des étudiants qui sont logés chez l'habitant : c'est un peu plus cher, je crois mais en compensation, ils n'ont aucun souci pour les repas du soir et ils peuvent avoir l'occasion de partager la vie d'une famille. Ça t'irait bien, je crois. Les familles sont sélectionnées et répertoriées. C'est très sérieux.

Il n'y a aucun souci pour les distractions : elles ne manquent pas, c'est bien là le danger ;-))

Bien sûr, si tu veux visiter la région le week-end, tu peux louer une voiture mais c'est assez cher et ici, on conduit à gauche !!

Tu me tiens au courant ? N'hésite pas à m'écrire !

Ma pause est finie... À bientôt !

Love

Jalna

145 PROPOSITION

Mon cher Domi,

Comment vas-tu ? Tes vacances se passent bien ? Comme convenu, j'ai relevé aujourd'hui ton courrier et j'ai trouvé une lettre de la mairie et un message de ton club de foot. Pour le foot, ce n'est pas très important. Max t'avertit seulement que l'entraînement du 30 avril est annulé et reporté au 4 mai à 20 heures, au stade. La lettre de la mairie va t'obliger peut-être à interrompre tes vacances : tu es convoqué par le directeur des ressources humaines le 20 de ce mois à 15 heures. Mais il y a peut-être une solution : pourquoi ne pas repartir chez toi après ton entretien à la mairie ? Tu peux aussi essayer d'en faire repousser la date après ton retour ?

À toi de voir... Si je peux faire quelque chose, n'hésite pas !

À bientôt !

Achevé d'imprimer en France par Clerc s.a.s. - 18200 Saint-Amand-Montrond
N° d'éditeur : 10182928 - octobre 2011